Silène Edgar est l'autrice d'une dizaine de livres
et adultes, dont *14-14*, *Adèle et les noces de la re*
Les Lettres volées, *42 jours* et la trilogie *Moana*, des t
aux éditions Castelmore, pour la plupart disponibl
adaptée aux lecteurs dyslexiques.
Silène fait toujours des milliers de choses en même t
des recherches sur *Harry Potter* et des dossiers pé
pour différents éditeurs. Elle a enseigné le frança
quinze ans, mais elle se consacre dorénavant à l'
vient d'achever une formation d'initiation au sc
Fémis. Elle aime le chocolat et rencontrer ses lecteurs.

Paul Beorn est aussi l'auteur d'une dizaine de romans pour jeunes et adultes. Il est né et a grandi à La Rochelle. Bercé par les récits de J.R.R. Tolkien, c'est dès l'enfance que lui vient l'envie de devenir écrivain. Il a publié chez Castelmore un texte pour adolescents, *Le Jour où...*, ainsi que les romans jeunesse *14-14* et *Un ogre en cavale*. *Le Septième Guerrier-Mage*, paru aux éditions Bragelonne, a reçu le Prix Imaginales des lycéens 2016.

les Loups-Garous
de Thiercelieux

Paul Beorn   Silène Edgar

LUNE ROUSSE

ROMAN

CASTELmore

Collection dirigée par Bleuenn Jaffres

D'après les jeux «*Les Loups-Garous de Thiercelieux*», publiés par
«lui-même» éditions © «lui-même» éditions – Philippe des Pallières
et Hervé Marly.

© Bragelonne 2018

Logo «*Les Loups-Garous de Thiercelieux*» © «lui-même» éditions –
Philippe des Pallières et Hervé Marly

Illustrations intérieures : Christine Deschamps

Loi n° 49-956 du 16 juillet 1949
sur les publications destinées à la jeunesse

Dépôt légal : novembre 2018

ISBN édition collector : 978-2-36231-261-8
ISBN édition standard : 978-2-36231-207-6

CASTELMORE
60-62, rue d'Hauteville – 75010 Paris
E-mail : info@castelmore.fr
Site Internet : www.castelmore.fr

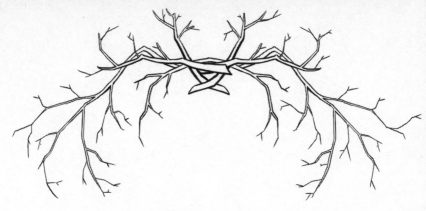

Que chacun donc veille à se taire
car j'ai l'intention de vous raconter une belle histoire,
et j'en connais plus d'une!
Avec un peu d'attention,
vous pourriez en tirer une leçon
fort utile.
Certes, on a l'habitude de me prendre pour un fou,
pourtant, j'ai appris à l'école
que la vérité sort de la bouche des fous[1].

---

1. Avertissement du conteur, *Le Roman de Renart*, texte établi et traduit par Jean Dufournet et Andrée Méline, GF-Flammarion, 1985. Tome 1, p. 309-311.

1

LAPSA

J'AI CHAUD, J'AI L'IMPRESSION D'ÊTRE ENROBÉE
dans ce soleil qui brûle sans en avoir l'air. Au cœur
de la forêt, la chaleur se fait moins sentir et, surtout,
je peux me cacher loin du regard perçant de Grand-
Mère. Depuis ce matin, elle me surveille du coin
de l'œil : elle sait que je déteste ce jour. Le jour de
ma naissance. Le jour où ma mère est morte en me
mettant au monde. Pour tous les autres enfants,
leur anniversaire est un jour de fête. Pour moi,
c'est un jour de deuil. Je ne connaîtrai jamais ma
mère. J'avais quatre ans quand ma grand-mère me
l'a expliqué.

J'avance d'un bon pas, mon panier d'osier au bras,
le premier que j'ai tressé moi-même. J'ai trouvé un bon
prétexte pour échapper à sa vigilance : je vais cueillir

quelques herbes médicinales pour l'apothicairerie. Hélas, les fleurs de valériane ont toutes fané avec la sécheresse. En fouillant dans les buissons, j'ai quand même trouvé des mûres; elles sont délicieuses et je m'en suis gavée. Du coup, maintenant, j'ai les mains violettes.

Essayant de ne pas penser à cette stupide date anniversaire, je m'assois sur un gros caillou que j'aime bien. Les rayons percent à travers la canopée et je repense aux nombreuses fois où nous avons joué aux ombres avec Lune; nous faisions des formes d'animaux… un loup, une vieille dame, un renard, un homme grimaçant prenaient vie sur la mousse de la forêt, c'était drôle. C'est elle qui m'a appris à faire ces ombres, quand nous venions ici toutes les deux pour jouer loin du regard de ses parents. J'essaye d'en faire une ou deux, mais ça n'a aucun sens. Je n'ai plus dix ans, je me sens ridicule. Lune a changé, elle aussi, elle préfère d'autres occupations; quand elle a enfin fini de recoudre ses jupes ou de se coiffer pour se faire belle, elle ne parle plus que des garçons du village, et surtout de cet Arnoux dont elle a toujours le nom à la bouche. Pour moi, elle est belle quand elle fait moins de manières, mais elle ne me croit pas. Elle a moins de temps pour moi et je me sens souvent seule. Je n'ai pas de frères et sœurs, je n'ai que ma grand-mère et elle a tellement de responsabilités au village avec son rôle de guérisseuse : je passe régulièrement mes soirées en tête à tête avec le chat.

Est-ce cela, grandir ? Tout le monde a tendance à me croire plus jeune que mon âge : on me donne onze ou douze ans parce que je suis petite, alors que j'en ai quatorze aujourd'hui. J'ai un petit visage, de petites jambes, de petits bras tout semés de grains de son, des milliers de minuscules boucles rousses… tout en moi est petit. Sous le violet des mûres, j'observe les taches de rousseur qui constellent mes mains. Je ne les aime pas. Pour les cacher, j'écrase quelques mûres sur mes paumes et je m'en tartine la peau jusqu'à ce qu'on ne les voie plus.

Le jour touche à sa fin, il faut que je me dépêche de rentrer si je ne veux pas que Grand-Mère me fasse une remarque, une fois de plus. J'ai l'impression de ne jamais être à la hauteur avec elle, elle est tellement exigeante. Elle m'en demande autant qu'elle en exige d'elle-même, ce qui n'est pas rien ! Elle est généreuse aussi, tendre quand il faut, je ne vais pas cracher dans la soupe ; par exemple, je sais qu'elle a prévu de longue date des cadeaux pour cette journée spéciale. Sauf qu'elle n'a pas compris que je n'en veux pas, car le seul cadeau dont j'ai besoin et qu'elle me refuse, c'est de comprendre qui étaient mes parents. J'ai quelques informations, bien sûr… Lui s'appelait Éloi, et elle, Flore. Mon père est mort dans un accident de cheval, avant ma naissance ; il aurait pris un coup de sabot, mais je n'ai pas plus de précisions. Ma mère, j'en sais un peu plus, car ma grand-mère m'en parle de temps en temps : elle était à peine plus âgée que moi quand elle est morte en couches, c'était une belle fille, elle était gaie et curieuse de tout. Et puis elle a rencontré mon père. Ils n'étaient pas mariés puisque je porte le nom de ma mère, mais je connais son nom de famille à lui, Pernel, et je sais que ses parents sont morts aussi, mais je ne sais même pas comment, ni où ils habitaient exactement, puisque ma grand-mère ne m'a jamais emmenée sur leur tombe. Étaient-ils gentils ?

Alors que je n'ai jamais osé insister pour obtenir des réponses par peur de la peiner, j'ai ce soir le sentiment qu'elle me les doit. C'est comme un feu qui s'est allumé et que je n'arrive pas à éteindre. Peut-être ma grand-mère accepterait de me répondre enfin ? Chaque fois que j'ai abordé le sujet jusque-là, ce qui est toujours très difficile pour moi, elle s'est fermée comme une huître. Lune pense que je devrais me fâcher contre elle, mais j'ai tellement peur de la blesser en lui rappelant cette période que je devine sombre.

Je saute à bas du rocher et je cours vers le village. Au passage, j'arrache quelques branches de menthe pour ne pas revenir bredouille. Ça m'évitera au moins une remarque sur l'inutilité de ma promenade.

J'arrive dans la grand-rue, j'évite en bondissant les bouses de vache et le crottin de cheval, les ordures que tout le monde jette par terre. Que le sol est sale! Les belles maisons de pierre s'ornent de fleurs et de vigne dès qu'on lève le nez. Seulement, si on a la figure en l'air, on marche dans la crotte! En passant par le lavoir, je jette un coup d'œil aux enfants qui jouent en criant, ils sont amusants, ils me font sourire. Sur le seuil des masures, des femmes balayent ou discutent, c'est la fin de la journée: les marmites sont sur le feu, les corvées quotidiennes sont faites, elles bavardent de tout et de rien. Elles me regardent passer, certaines avec un sourire bienveillant, d'autres avec un air de méfiance qui ne me plaît pas. Dans le village, ma grand-mère est surnommée «la Sorcière».

Pourtant, quand quelqu'un est malade, les villageois viennent en suppliant qu'elle lui donne de quoi faire passer la fièvre en échange d'un lapin ou d'une douzaine d'œufs. La saison des premiers rhumes nous donne toujours l'occasion de mieux manger qu'à l'ordinaire! L'été, quand les fermiers des hameaux du coin n'ont pas besoin d'elle et crachent sur son passage, ce sont les riches clients de la ville qui viennent jusqu'à l'apothicairerie. Ils y trouvent des remèdes rares et précieux qu'ils payent sans compter, tant la réputation de Grand-Mère est bonne.

Avant, je ne remarquais pas les regards malveillants, mais maintenant je suis gênée. Alors je baisse le nez et, pour leur échapper, je décide de m'arrêter chez le boulanger, afin de lui demander s'il lui reste une miche de pain. La porte de bois est ouverte.

—Boulanger?

Personne ne répond. Il y a comme un grondement; j'entre dans la petite pièce et découvre le boulanger endormi ronflant comme un sonneur. Il est blanc comme la farine, et son gros ventre semble bouger tout seul. Sa blouse sale s'est soulevée, laissant voir son nombril cerné de gros poils noirs. C'est assez dégoûtant.

—Lapsa? fait la voix de Raoul en provenance de l'arrière-cour.

—Oui, c'est moi, dis-je à voix basse pour ne pas réveiller le dormeur.

Raoul apparaît dans l'encadrement de la porte basse donnant sur l'extérieur.

—Viens, me répond-il de sa belle voix chaude.

Je suis contente de le voir: c'est un garçon généreux malgré sa timidité. Là, il est en train de récurer des récipients à grande eau.

—Il s'est encore endormi, je travaille pour une marmotte, en fait.

—Tant qu'il n'a pas fait brûler le pain.

—Pff. Des fois, ça vaudrait mieux…

—Raoul, c'est ton maître, quand même.

—Un bien mauvais maître! Il fait du mauvais travail, il me laisse toutes les sales besognes et je ne peux pas faire le pain… Mais regarde: j'ai réussi à en faire un petit en cachette.

—Oh, qu'il est beau! m'exclamé-je en saisissant la jolie boule parfaitement ronde.

—C'est pour Lune, j'ai envie de le lui donner. Tu crois que ça lui plaira?

—Oui, bien sûr, dis-je, un peu dépitée que ce ne soit pas pour moi. Tu es si gentil. On dirait que c'est…

—La lune! s'exclame Raoul en finissant ma phrase. Je l'ai vue presque pleine cette nuit, elle était énorme. Et rousse comme toi.

—Tu ne vas pas t'y mettre.

—Excuse-moi, je ne voulais pas te vexer, j'adore tes cheveux, moi. On dirait le feu qui couve sous le pain.

—Hum. Bon, d'accord. Tu as une miche pour moi?

—Oui, mais… le boulanger ne les a pas assez cuites, comme d'habitude. Je t'en donne une des siennes pour ce soir et j'essaierai de t'en préparer une autre pour demain matin, quand il aura le dos tourné. Comme ça, tu pourras me pardonner, d'accord?

Vraiment, ce garçon est adorable. Je le remercie et repars avec mon pain dans le panier, au milieu des branches de menthe. Je presse le pas en remontant la rue. L'apothicairerie est l'avant-dernière maison sur la route de Montolivet, juste entre la maison du cordonnier et celle de Martin, le barbier. Le soleil est bas sur l'horizon : Grand-Mère va vraiment me sermonner.

Pas de chance, le cordonnier est assis sur un banc devant sa maison ; une bicoque si ventrue qu'on dirait une marmite. C'est un ancien si noueux et si ridé qu'il ressemble à un vieux tronc de chêne. On l'appelle ainsi, « L'Ancien ». Il me salue gentiment, je sais qu'il m'aime bien. Enfin... il aime surtout Grand-Mère, peut-être même qu'il est un peu amoureux d'elle ! Imaginer ce vieux bonhomme avec un bouquet de fleurs et un air énamouré me fait beaucoup rire intérieurement, et il se méprend sur mon sourire. Il doit croire que je suis contente de le voir.

— Tu ne viens pas me faire une bise, demoiselle ? m'apostrophe-t-il soudain, ravi. Je voulais te souhaiter un bon anniversaire ! Tu as passé une bonne journée ?

Je fronce les sourcils. Non, je ne passe pas une bonne journée et je n'ai pas envie qu'on me souhaite mon anniversaire. Je dois avoir l'air beaucoup moins avenante parce que le visage du vieux chêne se referme aussi.

—Je ne voulais pas ternir ton joli sourire, n'écoute pas les paroles d'un vieil homme.

J'essaye de me débarrasser de lui.

—Pardon, l'Ancien, je dois rentrer à la maison.

—Tu as traîné dans les bois, à ce que je vois, dit-il en prenant mes mains dans les siennes.

Je les lui retire d'un geste vif, je n'ai pas trop envie qu'il me fasse remarquer que je suis gourmande.

—J'étais partie chercher des herbes pour Grand-Mère, dis-je pour me justifier.

—Tu es d'une grande aide pour elle, tu peux être fière de toi.

—Oh, merci! J'aimerais en faire plus, elle travaille tout le temps. J'ai peur qu'elle se fatigue.

—Ne t'inquiète pas trop, elle est encore très forte pour son âge. Prends soin de toi aussi, car te voir grandir est son plus grand bonheur. Et amuse-toi un peu: ça ne doit pas être facile tous les jours de vivre avec une vieille dame quand on est une jeune femme. Allez, file, sinon ta grand-mère va s'inquiéter. Surtout aujourd'hui…

Quand je pousse enfin la porte de l'apothicairerie, je suis happée par l'odeur des plantes et des fleurs qui sèchent, pendues par brassées aux poutres. La première pièce sert de boutique: elle est tapissée jusqu'au plafond d'étagères de bois sombre et patiné. Un alambic trône sur le comptoir, avec divers instruments de mesure en cuivre, une balance, une règle, des poids dont le plus petit fait à peine la taille de l'ongle du petit doigt. Des verres gradués et des bouteilles bleues, vertes, pourpres sont entassés sur le côté. Le soleil peine à entrer par les petits carreaux des fenêtres donnant sur la rue. Grand-Mère a l'habitude d'allumer de multiples bougies de cire dans tous les coins. Leur flamme se reflète sur les nombreux flacons et pots emplis d'onguents et d'ingrédients qui remplissent les étagères. C'est un endroit apaisant, je me sens enfin plus à l'aise.

—Grand-Mère! Je suis rentrée!

Celle-ci me répond du fond du jardin, mais je suis trop loin pour comprendre ce qu'elle dit. Je pose mon panier, noue une cordelette autour des brins de menthe et grimpe sur un vieux tabouret pour les accrocher à une poutre.

—Bonsoir ma chérie, c'est pas trop tôt. J'ai cru que tu t'étais perdue!

Grand-Mère apparaît sur le seuil menant à la cuisine. Elle a encore la forme pour une aussi vieille dame… elle a près de cinquante ans. Ils ne sont pas nombreux au village, les gens qui dépassent cet âge. Je la trouve toujours belle avec sa masse de cheveux blancs, son grand tablier de la même couleur et ses yeux verts étincelants.

—Merci pour la menthe… et le pain, ajoute-t-elle.

—Il n'est pas bien cuit. Raoul va nous en faire une autre pour demain.

—Ce boulanger est vraiment une catastrophe. Quel dommage que l'ancien lui ait laissé son commerce. Mais… montre voir tes mains. Oh… gourmande! C'était bien la peine que je te fasse un gâteau si tu t'es déjà gavée de mûres.

Je sens que je rougis.

—Je te taquine, tu as bien le droit, ma mignonne, surtout aujourd'hui.

À cette mention déguisée de mon anniversaire, j'explose, ça sort tout seul, je n'en peux plus.

—Je ne veux pas en entendre parler! Laissez-moi avec ça, ce n'est pas un bon jour, ça ne le sera jamais, je voudrais ne pas avoir à me réveiller ce jour-là, et je n'ai pas envie qu'on passe la journée à me le rappeler.

—Lapsa, écoute-moi, me coupe Grand-Mère avec sévérité. Tu ne peux pas refuser que les autres soient heureux de te voir grandir, c'est comme ça, et c'est tout. Tu as quatorze ans aujourd'hui, c'est important!

—Ce n'est pas le problème! Pour moi, ce n'est pas mon anniversaire, c'est juste… C'est juste l'anniversaire de sa mort à elle.

Le visage de Grand-Mère s'effondre, des larmes perlent soudain à ses paupières. Brusquement, ma colère s'éteint, comme si un grand vent avait soufflé dessus. Je ne sais plus quoi dire, je me sens nulle, méchante, je ne sais même plus pourquoi je suis si fâchée, les larmes coulent sur mes joues à mon tour et je me retrouve soudain dans les bras de Grand-Mère, comme une toute petite fille. Je sanglote dans son giron rassurant.

—Là, là… Je sais, je sais bien, ma douce, ma jolie… On ne remplace jamais une maman…

Peu à peu, je me sens mieux, comme si un poids s'ôtait de mes épaules. Je renifle, me dégage et souris un peu pour la rassurer. Cela semble fonctionner ; elle me regarde en souriant et conclut :

—C'est cette lune rousse, elle est sournoise, elle fait ressortir les vieilles colères… Je t'ai préparé un bon petit plat et nous allons passer une bonne soirée, ma chérie. Et, si tu veux, je t'épargne les bougies et le gâteau ?

—D'accord, on oublie les bougies, mais je veux bien le gâteau, dis-je en m'efforçant de sourire de nouveau.

Cela la fait éclater de rire. Fait-elle semblant, comme moi ? Elle me pince la joue, ce que je déteste.

—Allez, ma belette gourmande, à table alors !

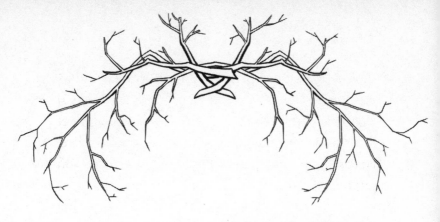

29 septembre 1846

Ça y est, Lapsa a quatorze ans aujourd'hui. La lune rousse arrive à point nommé. Quand ma chère petite-fille aura ses griffes et ses crocs, je pourrai tout lui dire.

J'attends ce jour depuis tant de temps... j'espère qu'elle me pardonnera de lui avoir menti toutes ces années. Elle m'a posé des questions sur son père, je n'ai pas eu la force de lui répondre. Est-ce que j'ai raté le bon moment ? Je suis perdue.

Advienne que pourra, mes amis seront là pour m'aider.

2

LUNE

—Rassieds-toi, Lune, dit mon père en croisant les mains sur la table. Il faut qu'on parle.

Je n'aime pas du tout son air sérieux. D'autant que Maman garde la tête baissée, à côté de lui. C'est mauvais signe, ça.

—C'est important? Je dois aller livrer la chèvre à la mère Loisel avant la nuit.

Il devait avoir prévu de m'annoncer quelque chose, car on a soupé plus tôt que d'habitude, ce soir. Deux tranches de pain de seigle à vous étouffer le gosier et une tasse de lait de chèvre, tu parles d'un repas. Deux semaines qu'on ne mange que ça.

—Rassieds-toi, j'ai dit.

Dans la ferme familiale, en dehors des combles où je dors, il n'y a que deux pièces: la chambre de mes parents et la pièce commune. C'est dans la pièce commune qu'ont lieu les discussions importantes.

Je me rassois et je regarde mon père droit dans les yeux.

—Qu'est-ce que vous me reprochez encore ?

Est-ce qu'ils m'ont vue sortir en douce pour aller m'amuser au village, la nuit dernière ? Ou alors, ils ont fouillé sous mon matelas, et ils ont retrouvé le fard à joues que j'ai volé dans les affaires de Maman ?

—On ne te reproche rien, ma chérie, répond ma mère, toujours sans lever les yeux.

—Lune, reprend mon père, tu sais que notre grange a brûlé le mois dernier avec toutes nos récoltes. Il nous reste un peu de céréales à moissonner, mais la rouille jaune s'est mise sur la parcelle de la butte.

—Je suis au courant, tu m'as fait arracher les plants de blé pendant tout le mois de juillet. J'en avais les mains en sang.

Je suis peut-être allée trop loin. Je rentre la tête dans les épaules dans l'attente de la gifle.

—On est une famille de fermiers, Lune, que tu le veuilles ou non, réplique sèchement mon père. C'est un travail dur, mais noble.

La gifle ne vient pas. Ça aussi, c'est mauvais signe. Ils ont quelque chose à me demander, c'est sûr. Ou une mauvaise nouvelle à m'annoncer.

—Lune, reprend Maman, on n'a plus un sou. On aura tout juste de quoi manger cet hiver, mais on ne pourra pas payer le fermage de monsieur de Cingly.

—Cingly-le-cinglé?

—Je t'interdis de l'appeler comme ça! s'écrie mon père.

—Tout le village le fait. Avec son fusil de chasse, il tire sur tout ce qui bouge dans la forêt. La grand-mère de Lapsa a failli se faire plomber les fesses quand elle est allée aux champignons.

—Je te rappelle que monsieur de Cingly est le frère de monsieur le baron, et il possède toutes les terres qu'on cultive!

—Oh, ça va, Papa, il est propriétaire d'au moins dix parcelles en plus de la nôtre. C'est pas notre petit loyer qui va lui manquer.

Maman tend le bras et pose sa main sur la mienne.

—Lune, monsieur de Cingly pourrait saisir le peu de biens qui sont à nous. On perdrait la maison et on serait jetés dehors comme des vagabonds. Ton père pourrait même aller en prison.

Papa? en prison? On ne peut pas dire qu'on s'entend bien, lui et moi. Mais je sens mon cœur se serrer à l'idée de le voir entre deux gendarmes.

—Il doit bien exister une solution. Il faut aller lui parler, il faut lui expliquer pour la grange et la rouille jaune!

—On lui a proposé de le payer deux fois plus l'année prochaine, mais il a refusé, répond Maman.

—Tu as pourtant raison, ma fille, fait mon père avec un air embarrassé, il existe bien une solution.

—Ah, vous voyez!

Il n'est sûrement pas aussi buté qu'il en a l'air, ce De Cingly. Même s'il n'a jamais travaillé de sa vie, il peut bien comprendre qu'un paysan n'est pas à l'abri d'un coup du sort.

—Quand on a signé le bail de fermage, il y a huit ans, reprend mon père, monsieur de Cingly a fait ajouter une clause un peu… spéciale.

—Il faut dire, l'interrompt Maman, que monsieur de Cingly a un fort caractère. Et il a un physique qui… qui sort un peu de l'ordinaire.

—Il est laid comme un bouc. Et il *pue* comme un bouc. Mais quel est le rapport avec le contrat de fermage?

—Il ne trouve pas d'épouse, reprend Maman. Alors il a fait écrire dans le bail que, si un jour on ne pouvait pas le payer, on lui devrait la main d'une de nos filles.

Mes trois sœurs sont mortes en bas âge. Je suis leur seul enfant.

—Vous plaisantez?

—La bonne nouvelle, dit Papa, c'est qu'il renonce à la dot.

—Ton père avait d'excellentes récoltes jusqu'à présent. Nous pensions que cela n'arriverait jamais…

—V… Vous m'avez *vendue*?

—Il ne faut pas voir les choses comme ça, fait mon père. Cet homme possède beaucoup de terres, c'est un excellent parti. Tu n'en trouveras pas de meilleur au village, le baron excepté.

—Il est bien au-dessus de ton rang, Lune. C'est une chance pour une jeune fille de paysan comme toi, tes enfants n'auront jamais faim. Et puis, tu sais, dit-elle en jetant un coup d'œil involontaire à Papa, on ne choisit pas toujours avec qui on se marie.

La tête me tourne…

—Il a au moins quarante ans!

Mon père secoue la tête.

—Tu exagères, il en a trente.

—J'en ai moitié moins, Papa!

—Ne t'inquiète pas pour cela, nous attendrons tes seize ans pour les noces, répond-il avec un sourire conciliant. Mais nous annoncerons vos fiançailles dès le mois prochain. Monsieur de Cingly te trouve très jolie et il semblait enchanté. Je suis sûr que ce sera un mari très attentionné.

—C'est un mufle! La semaine dernière, il a giflé Lapsa parce qu'elle l'avait soi-disant mal regardé; il a craché sur Raoul à cause du pain pas cuit du boulanger! Et vous voulez que je me marie avec lui?

Jamais, vous m'entendez ? Devant le curé, je dirai « non » et vous ne pourrez pas me forcer !

Je me lève, les jambes tremblantes.

—Lune, calme-toi, enfin ! fait ma mère.

Me calmer ? Comment je pourrais me calmer ? Je renverse ma chaise et je me rue à la porte d'entrée que je claque derrière moi de toutes mes forces, comme si ça pouvait faire s'écrouler la maison. Une fois dans la cour, je me mets à hurler à m'en brûler la gorge.

La chèvre, attachée à son piquet, me regarde d'un œil placide en mâchonnant une bouchée de feuilles d'érable.

—Viens là, toi !

Je la détache et tire fort sur la corde, comme si c'était sa faute.

—Fini de traire tes sales mamelles tous les matins ! Ils t'ont vendue, toi aussi.

Traînant cette stupide bête derrière moi sur le chemin, me fichant pas mal de l'étrangler à moitié avec la corde, je dévale la butte vers le village. Je remarque à peine la couleur étrange du ciel, sombre et presque orange, pas plus que la lune rousse, énorme, qui flotte entre deux nuages comme un ballon.

Dans ma tête, les paroles de mes parents tournent en boucle. Pour ne pas pleurer, je serre les poings à m'en enfoncer les ongles dans les paumes. Me marier avec Cingly-le-cinglé… Est-ce qu'on peut imaginer quelque chose de pire ? Quand je vais dire ça à Lapsa !

Elle aura l'air maligne, elle qui n'arrête pas de me répéter que la vie au village, ce n'est pas si mal que ça, que les gens d'ici sont gentils. Tu parles ! Personne ne la force à se marier avec un vieux poilu horrible, elle.

Et puis, je change brusquement de direction : ce n'est pas à Lapsa que j'ai envie de parler. Elle serait capable de me demander de me calmer, comme ma mère. Peut-être même de prendre la défense de mes parents ! Non : je file plutôt en direction de la scierie pour en parler à Arnoux. Lui au moins, il me comprendra.

Rien que de penser à lui, je pousse un soupir de soulagement. Il a toujours de bonnes idées, Arnoux. Il trouvera une solution. Il me parlera de la ville, des places à prendre qui nous attendent, là-bas, et de la chance qui sourit aux audacieux.

Quand j'arrive à la rivière, le hurlement strident des scies circulaires se tait peu à peu. C'est la fin de la journée de travail. À la mort de son mari, la mère Loisel a fait démolir le vieux moulin à eau et construire cette scierie moderne, que certains voient d'un mauvais œil au village. Une vraie femme d'affaires, celle-là.

Sortant avec les autres, Arnoux s'attarde un moment à discuter avec sa patronne, justement. Et puis, il m'aperçoit et me fait un signe de la main. Je me précipite vers lui. Malgré sa blouse de travail toute sale, il est beau comme un dieu avec ses yeux rieurs et ses épaules musclées. Ses cheveux noirs sont couverts de sciure, il en a jusque sur les sourcils.

—Je te préviens, j'en ai plein dans les oreilles! crie-t-il d'une voix un peu trop forte.

Il n'a que dix-sept ans, mais il en paraît vingt.

—Arnoux! s'écrie le petit Dib qui surgit de nulle part.

Je ne l'avais pas remarqué, celui-là. Il est gentil, ce môme, mais qu'est-ce qu'il peut être collant. Son vrai nom, c'est Damien Tibre, mais tout le monde l'appelle Dib. Il est maigre comme une tige trop vite montée en graine.

Le grand Arnoux ébouriffe ses cheveux en pagaille et le gamin rit aux éclats.

—Fichtre! Tu as presque dépassé Lune en taille, toi!

—J'ai douze ans, maintenant, répond l'autre, tout fier.

Il est orphelin, comme Lapsa. Ses parents sont morts de maladie quand il était petit. Une sale histoire...

—Arnoux, tu as vu la lune dans l'ciel? Elle est rouge comme une braise!

—Vingt dieux, tu as raison! Je ne l'avais jamais vue comme ça. On dirait qu'elle a le feu aux miches, la vieille dame blanche!

Un peu agacée, je fourre la corde de la chèvre entre les mains de Dib en lui disant «Tiens-moi ça une minute», et je prends Arnoux par le bras pour l'entraîner à l'écart.

—Il faut que je te parle, c'est important.

—Eh bien, tu en fais une tête, toi. Au fait, ajoute-t-il en regardant alentour, elle est où, ton amie Lapsa?

Je n'aime pas beaucoup ce regard intéressé qu'il a en parlant d'elle. Lapsa est peut-être menue, mais ses beaux cheveux roux et son air ingénu font tourner la tête des garçons. Elle est plus jolie que moi, même si c'est dans un genre très différent, et Arnoux a tendance à tourner autour de tout ce qui brille.

—Je te jure, Arnoux, je n'en peux plus de ce village! Je vais ficher le camp. Cette fois, c'est fini!

—Quoi? fait Arnoux en baissant le regard vers moi, un peu surpris. Qu'est-ce qui s'est passé, ma belle? Raconte-moi tout.

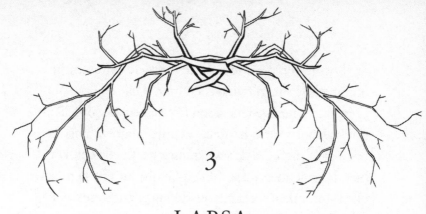

3

LAPSA

Après que Grand-Mère a refusé de répondre à mes questions, je tourne en rond dans la cuisine. Essayant de masquer mon énervement, je soulève le couvercle de la grosse marmite: que m'a-t-elle préparé? Je la reconnais bien là, elle a fait une blanquette de veau, mon plat préféré… et il y a de gros morceaux de viande. Quel luxe! Malgré mon agacement, je suis touchée par ses efforts pour fêter mon anniversaire, même si je pense qu'elle en fait trop.

—Où as-tu trouvé ce veau? Nous n'avons pas vraiment les moyens.

—Elle vient de la fermière des noisettes, elle me devait un remède contre les jambes lourdes, elle m'a payé avec un gigot. Quant aux finances, la saison a été bonne, nous devrions avoir un automne tranquille.

Lorsqu'elle prononce cette dernière phrase, une ombre passe sur son visage, comme si elle en doutait. C'est furtif, mais je repère son froncement de sourcils : nous vivons toutes les deux depuis quatorze ans, je connais la moindre de ses expressions. Et elle connaît bien les miennes aussi. Qu'est-ce qui lui fait penser que l'automne ne sera pas aussi long et ennuyeux que d'habitude ? Thiercelieux est si petit, il ne s'y passe jamais rien !

Sur l'épaisse table de chêne est disposée notre vaisselle la plus délicate. Grand-Mère a aussi déplié la belle nappe bleue qui vient de son trousseau. Elle l'a conservée depuis son mariage, il y a au moins trente ans. Les prénoms des époux, Delphine et Marius, s'étalent en belles lettres brodées au centre. Marius est mort à la guerre, alors que leur fille Flore, ma mère, venait à peine de naître. Penser à elle me remplit de nouveau le cœur de tristesse et je soupire. Mes émotions sont si changeantes en ce moment, j'ai l'impression d'une tempête sous mon crâne.

— Allons, ma belette, sers-nous un peu de vin, tu es grande à présent.

Enfin, elle le reconnaît ! Nous nous installons face à face ; Grand-Mère pose la marmite sur la table et nous sert, tandis que je verse le liquide rouge dans les petits verres de cristal qu'elle a sortis pour l'occasion.

—À ta santé, ma belle, et au souvenir de ta gentille maman.

Je saisis la balle au bond.

—Elle me manque… Je sais que c'est bizarre, parce que je ne l'ai pas connue, mais c'est comme un creux dans ma poitrine.

—C'est normal et tu as raison d'en parler, répond-elle, rassurante.

—Je sais que repenser à elle te fait souffrir, dis-je en posant ma main sur la sienne, douce et ridée. Tu as perdu ta fille.

—Oui, mais je t'ai, toi ! Parler est parfois douloureux, mais beaucoup moins que de laisser les sentiments pourrir. Cela semble difficile sur le coup d'exprimer les peines et les souffrances, et puis, une fois dites, celles-ci pèsent moins lourd.

—Hmmm, marmonné-je avant d'avaler une bouchée délicieuse de blanquette. J'aimerais en savoir plus, pour comprendre.

—Que veux-tu comprendre, Lapsa ? Ta maman est morte en te donnant le jour, c'est quelque chose qui arrive souvent, hélas…

—Aucune plante n'aurait pu la sauver ?

—Non, ma chérie, son cœur a lâché à cause de la fatigue et je n'ai rien pu faire, dit Grand-Mère avec douleur. Rien d'autre que de la voir partir…

Elle m'a déjà raconté cela, mais ça me rend toujours aussi triste de l'entendre et de voir que ma grand-mère s'en veut encore, quatorze ans après…

— Et elle était si malheureuse qu'elle avait perdu l'envie de se battre, ajoute-t-elle. En fait, je crois qu'elle est morte autant de chagrin que d'épuisement.

Quoi ? Elle ne m'a jamais dit cela ! J'ai soudain les mains qui tremblent.

— Pourquoi était-elle si triste ? Parce que mon père était mort, c'est ça ?

À la mention de mon père, son visage se ferme soudain. Elle refuse toujours d'en dire quoi que ce soit. Je sais tellement peu de choses de lui : je ne connais même pas les circonstances exactes de son accident. Un coup de sabot, d'accord, mais comment ça s'est passé ? Non seulement elle ne m'en parle pas, mais personne d'autre au village ne l'a jamais évoqué devant moi. Et je suis trop embarrassée pour poser des questions.

Nous nous taisons un peu, mangeons en silence, mais les questions se pressent sur ma langue. Je sens monter la colère : n'a-t-elle pas dit qu'il valait mieux dire ses douleurs que de les garder pour soi ?

— Le barbier n'était pas là ? Il sait opérer, non ? Ça fait partie de son travail, pourquoi n'a-t-il rien fait ? m'énervé-je.

— Il était soûl, sans doute…, répond-elle en fronçant les sourcils.

—Martin ne boit pas, pourtant! dis-je, étonnée.

—C'est de son père que je te parle, l'ancien chirurgien-barbier. Martin était justement parti à la ville depuis près d'un an pour apprendre le métier, car son père était trop aviné pour lui transmettre sa science. Il était absent du village quand ta mère est morte.

—Quand mon père est mort aussi?

—Oui, il était parti depuis déjà quelques mois, répond-elle rapidement. Lorsqu'il est revenu et qu'il a appris la mort de ta mère, il s'en voulait terriblement de n'avoir pas été là pour la sauver. Mais il n'aurait rien pu faire de plus que moi.

—Ils se connaissaient bien?

—Oh oui, ils étaient amis depuis tout petits.

—Avec mon père aussi?

Grand-Mère fait de nouveau sa tête butée, mais les questions fusent, comme si une digue avait cédé.

—Comment a-t-il reçu ce coup de sabot? Ça s'est passé où? Il poursuivait des brigands, c'est ça? Mais alors, comment a-t-il pu prendre un coup de sabot s'il était monté sur un cheval?

Son visage se ferme complètement, elle refuse de répondre, les lèvres serrées, les sourcils froncés. Ça m'énerve, pourquoi toujours éviter de parler de mon père? J'ai bien le droit d'en savoir plus! À ce moment précis, hélas, on frappe à la porte.

— Qui cela peut-il être aussi tard ? demande Grand-Mère, comme si elle ne connaissait pas déjà la réponse. Va ouvrir.

Derrière la porte, je découvre notre voisin, l'Ancien, et la mère Loisel. Les deux meilleurs amis de Grand-Mère. Ils me sourient et me tendent des cadeaux. Je suis embarrassée, une fois de plus. Je leur sers du vin et Grand-Mère donne à chacun une part de gâteau aux noix. Nous trinquons de nouveau, j'ouvre mes cadeaux, quoique je n'en aie pas plus envie qu'avant le repas.

L'Ancien m'a taillé une petite figurine de bois, on dirait un loup ou un renard, je ne sais pas trop. En tout cas, elle est très jolie et délicate, je crois qu'il l'a faite lui-même. La mère Loisel m'offre une magnifique étole en laine bleu pâle, qui se marie très bien avec mes cheveux roux. La patronne de la scierie a un goût très sûr, elle n'est pas seulement forte en affaires, c'est aussi la femme la plus belle du village, malgré les années qui commencent à marquer son visage. Elle porte toujours de jolies tenues qu'elle achète en ville. Cette étole vient sans doute d'une boutique de vêtements que j'imagine merveilleuse. Je suis touchée. Et le gâteau est délicieux.

Après cela, ils se mettent à parler de la pluie et du beau temps, comme des petits vieux… Il faut dire qu'à eux trois, ils ont au moins cent cinquante ans. À un moment, ils s'entre-regardent et Grand-Mère me dit qu'il est déjà tard, que je dois aller me coucher. Ils tiennent souvent conciliabule tous les trois et je n'ai jamais le droit de rester. Sauf que là, je n'ai aucune envie d'aller déjà dormir, j'aimerais qu'ils comprennent que j'ai besoin de réponses. Je n'ai encore obtenu aucun détail sur mon père, sa relation avec ma mère, son caractère. J'ai imaginé une dizaine d'histoires : peut-être que c'était une sorte d'aventurier, qu'il s'est battu pour sauver quelqu'un, qu'il est tombé de cheval dans une course-poursuite et qu'il a été piétiné. D'autres fois, je me suis dit que c'était un mauvais garçon, quelqu'un de pas fréquentable : il y a peut-être eu une bagarre et elle n'a pas envie que j'aie une mauvaise image de lui. Ça expliquerait pourquoi ma mère et lui ne pouvaient pas se marier. Sans doute ma grand-mère ne voulait-elle pas qu'il devienne son gendre, il était peut-être très pauvre ? Je suppose qu'ils s'aimaient follement, même si Grand-Mère a toujours refusé de me le confirmer.

Pourtant, ça changerait beaucoup de choses pour moi si j'étais sûre et certaine d'être une enfant de l'amour et non le fruit d'une erreur de jeunesse… Savoir qu'on a été désirée par ses parents, même s'ils ne sont plus là, n'est-ce pas quelque chose d'important ?

J'ai besoin de savoir.

—Je veux rester avec vous, dis-je d'une voix que j'aimerais plus forte.

—Ne m'oblige pas à me répéter une troisième fois.

—S'il te plaît…, insisté-je.

Elle fait un petit bruit d'agacement avec sa langue. Si je persévère, elle est capable de me faire une réflexion qui me rendra honteuse devant la mère Loisel. Qu'à cela ne tienne, je peux trouver d'autres moyens d'obtenir ce que je veux. Je me sens prête à tout, ce soir. Je fais donc semblant de renoncer. Mais, mine de rien, je laisse la porte du couloir entrouverte, me cache derrière et tends l'oreille. J'en apprendrai bien plus ainsi qu'en restant avec eux, de toute manière. Ils gardent un peu le silence, sans doute pour attendre que je sois montée. Je n'entends d'abord que le tintement des cuillères dans les tasses.

—La lune rousse est là, dit l'Ancien au bout d'un long moment.

—Pensez-vous que cela se fera bientôt? demande Grand-Mère.

—C'est sans doute pour ce soir, répond la mère Loisel. Lapsa n'a pas montré d'agitation?

—Si, justement! Elle pose des questions sur son père. Je suppose que ce n'est pas un hasard… Cela m'angoisse terriblement, j'ai peur qu'elle ne me pardonne pas mes mensonges.

—Te rappelles-tu si sa mère…, demande l'Ancien avant de s'interrompre.

Est-ce ma grand-mère qui lui aurait fait signe de se taire? Mais de quoi parlent-ils donc? J'essaye de coller doucement mon œil à la serrure pour voir par la mince ouverture. Mais, au moment où Grand-Mère va répondre, la lame de plancher sur laquelle je viens de poser le pied craque.

—Lapsa?

La porte s'ouvre sur le visage mécontent de ma grand-mère.

—Depuis quand les enfants ont-ils le droit d'espionner les adultes?

—Et alors? Ça me concerne, non? Vous parliez de moi! dis-je laissant sortir ma frustration. C'est quoi ces mensonges que tu m'as faits?

—Méfie-toi, jeune fille, ou tu vas le regretter. Allez, file! ordonne-t-elle en fermant la porte avec soin.

Je vais me coucher, déçue. Sauf que je n'arrive pas à dormir, rien n'y fait. Après avoir tourné plus d'une heure dans mon lit, je finis par me relever doucement. Je descends l'escalier sur la pointe des pieds et je sors par le jardin. La lune brille, énorme, comme un gigantesque ballon qui toucherait presque la terre. Je repense au petit pain de Raoul: si cette lune-là était une miche, elle nourrirait le village pendant une ou deux décennies! Je ne l'avais jamais vue ainsi.

Soudain, je vois une ombre filer au fond du potager. Je m'approche aussi silencieusement que possible, et voici que surgit un renard de derrière le tas de bois! Je retiens mon cri: il paraît aussi étonné que moi. Il est magnifique, du même roux que mes cheveux, avec des yeux noirs et un beau ventre blanc. J'ai l'impression, sans savoir pourquoi, qu'il s'agit d'une renarde. Elle penche un peu la tête de côté, comme pour me dire quelque chose, et file vers le bois. Je la suis en courant, mais elle est trop rapide. Très vite, je suis au milieu des arbres, seule. Quelle idiote! Heureusement, la lune est si lumineuse que j'y vois quasiment comme en plein jour. Je m'apprête à rentrer, quand un cri me surprend. Est-ce que ce serait la renarde? Non, cela semblait humain. Je me dirige vers la direction d'où ça provenait. Je vois soudain une femme âgée dans une petite clairière, une drôle de présence un peu fantomatique qui me ferait hurler si je ne reconnaissais pas immédiatement la vieille folle. C'est sans doute la plus âgée femme du village, mais elle se prend pour une petite fille. Elle n'est pas dangereuse, mais pas gentille pour autant.

—Qu'est-ce que tu fais là? m'apostrophe-t-elle avec hargne.

—Je... je...

—Cesse de bredouiller, et aide-moi à retrouver mon cerceau, je l'ai perdu par ici, dit-elle en imitant une voix d'enfant qui fait froid dans le dos.

Elle cherche du bout du pied sous les feuilles, mais c'est évident qu'il n'y a rien. Je fais semblant de l'aider un peu, cependant. Sa main crochue m'attrape le bras.

—Tu es la fille de l'apothicaire?

—Non, sa petite-fille.

—Oui, c'est vrai, répond-elle d'un air absent. L'autre est morte, c'est ça.

—Euh... Oui.

—Elle a voulu filer avec le bel Éloi, mais la lune l'a rattrapée et le malheur est arrivé, fait la vieille de sa fausse voix.

Éloi, c'est le prénom de mon père! Je n'en reviens pas : est-ce que finalement c'est de cette étrange femme que je vais en apprendre plus? C'est comme si la renarde avait permis à mes souhaits de se réaliser.

—Mon père? Est-ce que vous parlez de lui?

—C'était un beau garçon, quel gâchis...

—Comment ça?

—Il est parti, tu le sais, ça, au moins?

—Non! Il est mort dans un accident.

—Ça, c'est un mensonge... Il est parti, il vous a abandonnées ta mère et toi! Et personne n'a plus jamais eu de ses nouvelles... Mais, à mon avis, il n'est peut-être pas si loin que ça... Ah! Le voilà!

s'écrie-t-elle soudain, en attrapant un bout de bois arqué.

— De… de quoi?

— Mon cerceau, bécasse! Que tu es bête, toi.

Je ne proteste même pas, et elle repart aussi soudainement qu'elle est apparue, sans que je trouve la force de la suivre.

Mon père serait vivant… Je suis sonnée.

Soudain, un autre hurlement résonne au loin. Cette fois, ce n'est pas humain, on dirait un loup. Je cours me réfugier à la maison. La lune semble se moquer de moi, jeune fille effrayée par une vieille folle et un cri de loup au loin, petite orpheline… Ce n'est que dans mon lit que je retrouve mes esprits. Je ne vais pas me laisser submerger par des peurs d'enfant, quand même! Je dois en savoir plus. Je me fais une promesse: je vais découvrir la vérité sur mon père.

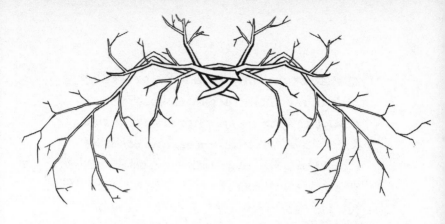

20 avril 1831

La lune se lève bientôt... la fameuse
lune que nous attendons. Ma petite
dort sereinement, pour l'instant, mais
je sens que son sang frémit déjà. Je sais
qu'elle sera l'une des trois, je le sens
au plus profond de moi. Sans doute
parce que j'en ai été une? Pourtant je
ne sais pas où est sa colère, celle qui va
lui permettre d'entendre l'appel. Elle a
l'air si douce, si calme, comme une eau
endormie... Je me rappelle que les jours
précédant la lune, à son âge, j'étais
bouillonnante, folle de rage et ivre de ce
sentiment si puissant d'injustice face
à mes parents. Ils me refusaient le droit
d'apprendre à lire, alors qu'ils avaient
donné un précepteur à mon frère.

Qu'est-ce qui anime ma fille ? Est-ce qu'elle me cache quelque chose ? Je lui donne tout ce qu'on peut désirer à son âge : l'école, les belles robes, une certaine liberté, un futur métier. Que pourrait-elle vouloir d'autre ?

Je la soupçonne d'être tombée amoureuse. Mais de qui ? Sans doute l'Éloi des Aulnettes avec sa bouille d'ange. Mais, avec les parents qu'il a, j'ai parfois peur qu'il tourne mal. Et le fils du barbier sera jaloux quand il rentrera de son apprentissage à la ville, je pense qu'il a toujours été amoureux d'elle...

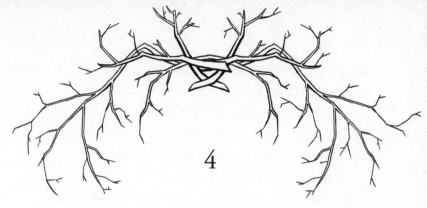

4

LUNE

J'OUVRE LA PORTE DE MA CHAMBRE SANS FAIRE de bruit et je me retourne une dernière fois. C'est dans cette petite pièce que j'ai vécu quatorze ans de ma vie. Mais maintenant, la ferme, mes parents, le village, c'est de l'histoire ancienne.

Cette nuit, je pars à la ville.

Cette nuit, je défie le monde.

La colère contre mes parents me remplit d'une exaltation étrange. Je me sens débordante d'énergie, comme si une fée ou une sorcière m'avait jeté un sort. Ce soir, rien ne peut m'arrêter.

Je me faufile dans la pièce commune plongée dans l'ombre, évitant les lames du plancher qui grincent. Dans le petit meuble où on range la vaisselle, j'ôte le tiroir de gauche et je passe la main dessous : c'est là que Papa cache nos maigres économies dans un sac de toile et le joli couteau pliant de mon grand-père, que je fourre pêle-mêle dans ma poche. Ils l'ont bien cherché! J'attrape aussi le reste de la miche de pain. Je me ferai un baluchon avec le torchon.

Je sors par la porte qui donne sur l'étable. Les vaches dorment juste à côté de nous, dans la même maison. Je me glisse derrière Germaine et la vieille Antoinette, qui ronflent tranquillement sur leur lit de paille, et file par la porte de l'étable en chuchotant:

— Adieu les filles, vive la liberté!

La lune est si grosse et si lumineuse qu'on y voit presque comme en plein jour, mais sa couleur orangée donne des teintes étranges au vieux puits et au tonneau rouillé accolé au mur. Je reste un moment à la regarder, bouche bée. Elle est tellement belle! On dirait presque qu'elle est là pour moi.

D'abord, dire au revoir à Lapsa.

Dans le village endormi, j'admire une dernière fois l'enseigne à tête d'agneau de la taverne, «Adieu tavernier!», je passe devant le boulanger qui ne se lèvera pas avant plusieurs heures, «Adieu l'incapable!», et, arrivée à la maison de l'apothicaire, je siffle entre mes deux doigts. Un coup long, un coup moins long: c'est notre code depuis toujours avec Lapsa. Qu'est-ce qu'on a pu s'amuser les soirs d'été, à sortir à la nuit tombée malgré l'interdiction des adultes!

Quand ma petite sœur Marie a été emportée par le typhus à l'âge de trois ans, j'ai été tellement triste que je n'ai plus parlé pendant des jours. C'est Lapsa qui m'a presque traînée de force hors de la maison pour m'obliger à voir le soleil. Mes parents ne faisaient rien pour moi. Mais Lapsa venait me voir tous les jours, elle m'emmenait à la rivière ou au bois. Elle adorait faire des rimes avec mon prénom. «Lune est une belle brune», «Lune va faire fortune». Elle me faisait rire avec des pitreries.

Au bout de trois jours, j'ai enfin ouvert la bouche et je lui ai demandé : «Pourquoi tu es venue me voir? On ne s'était presque jamais parlé, avant.» Elle a bien réfléchi et elle m'a répondu : «La première fois, c'était parce que ma grand-mère m'y avait obligée, mais maintenant, c'est parce que je t'aime bien.»

C'est ce que j'aime avec Lapsa. Elle dit la vérité. Et avec elle, ça ne fait pas mal.

C'est aussi elle qui m'a appris à lire – elle et sa grand-mère, qui m'appelait «mon petit fauve» à cause de mes cheveux en bataille. J'adore sa grand-mère. Les dimanches d'été, elle nous donne de l'eau à la menthe pour nous rafraîchir, avec une cuillère de miel. Personne n'a jamais su lire dans ma famille, l'école est bien trop chère pour nous. Lapsa m'a prêté des romans qui m'ont fait découvrir tout un monde à mille lieues du village!

Mais ce soir, elle ne répond pas. Je me faufile dans le jardin en essayant de ne pas écraser les plantes médicinales, et j'approche de la fenêtre. À travers les volets, on entend la vieille Delphine qui ronfle.

Je chuchote :

—Lapsa ?

Toujours pas de réponse. Qu'est-ce qu'elle fabrique ?

J'effleure de la main le montant de la fenêtre où on a gravé nos silhouettes au couteau : Lapsa et moi à dix ans, avec un gros cœur entre les deux. On en a semé dans tout le village, des entailles comme celles-ci... Un nuage passe devant la lune, et dans les jeux d'ombre et de lumière de la nuit, nos deux silhouettes maladroitement gravées dans le bois semblent prendre des formes d'animaux et remuer avec lenteur. On dirait de la magie.

Mais toujours pas de Lapsa. J'essaye de retenir les larmes qui me montent aux yeux, et j'en écrase même une du poing. C'est son anniversaire aujourd'hui. Je sais bien qu'elle déteste cette date et qu'elle m'a fait jurer de ne jamais le lui souhaiter... mais c'est quand même un drôle de cadeau que de la quitter ce jour-là. Est-ce que je peux vraiment partir sans dire adieu à ma meilleure amie ?

J'aimerais tellement avoir un papier et une plume pour lui laisser un mot. Au lieu de ça, je sors le couteau de mon grand-père de ma poche et, dans le montant de la fenêtre, je taille un second cœur en dessous du premier. Un cœur mieux dessiné, plus adulte. J'espère qu'elle le verra et qu'elle comprendra que je ne suis pas partie sans lui dire au revoir…

Arnoux est en retard, comme toujours. Je m'assois sur le rebord de la fontaine de l'angelot avec un soupir d'impatience. Mes jambes ont envie de marcher, de courir, de sauter en l'air! Arnoux n'est jamais là quand il faut…

—Lune? fait une voix dans mon dos.

Je suis tellement surprise que je manque de tomber dans la fontaine.

—Raoul? Qu'est-ce que tu fais là? Tu devrais dormir à cette heure-ci, tu te lèves à l'aube demain!

Il hausse les épaules. La lune illumine son tablier blanc d'apprenti.

—Je n'ai pas sommeil, dit-il en faisant tout son possible pour réprimer un bâillement. Mon maître ne me laisse rien faire pendant la journée, alors la nuit, c'est le seul moment où j'ai l'atelier pour m'exercer en cachette. Et toi, qu'est-ce que tu fais, avec ce baluchon?

Je lui souris et je me lève pour lui faire la bise.

—Je pars du village! Et je suis contente que tu sois là, comme ça je peux te faire mes adieux, à toi.

Est-ce que tu pourras dire à Lapsa que je suis passée la voir ? Je voulais vraiment lui parler avant de partir, mais…

Raoul m'interrompt en bafouillant, aussi blanc que son tablier :

—Tu… Tu pars ? Tu veux dire… à la ville ? Tu ne reviendras pas ?

—Tiens, Raoul la bouboule ! fait Arnoux qui vient d'apparaître derrière lui, en passant la main dans ses cheveux frisés. Excuse-moi, l'apprenti, mais Lune et moi, il faut qu'on parle.

Je réponds tout de même à Raoul :

—Mes parents veulent me marier de force à monsieur de Cingly, alors je fiche le camp.

—Ils veulent te marier à Cingly ? s'étrangle Raoul. Ils sont devenus fous ! Tu mérites beaucoup mieux que ce sale bonhomme !

—Et qui ça, Bouboule, toi peut-être ? fait Arnoux en éclatant de rire.

—J'ai… J'ai pas dit ça, marmonne Raoul la tête basse. Je trouve ça injuste pour toi, Lune, c'est tout. J'espère que tu seras heureuse, où que tu ailles…

Avec un air de chien battu, il rentre à la boulangerie, le regard triste.

—C'est tout ce que tu as pris ? me lance Arnoux en pointant mon baluchon du menton. Tu as pensé aux vêtements de rechange, au moins ?

Ça me vexe un peu. Non, je n'y ai pas pensé, quelle idiote!

—Je ne pouvais pas m'enfuir avec une armoire sur le dos. Et qu'est-ce que tu fiches avec ça, toi?

Sur l'épaule, il porte un gros sac en toile qu'il a sans doute pris à la scierie.

—Je pars aussi.

—Quoi?

—Chut, pas si fort! Viens, suis-moi.

Il se dirige à grands pas vers la sortie du village. Je suis presque obligée de lui courir après.

—Je croyais que tu voulais une augmentation? Et peut-être, un jour, devenir le patron de la scierie?

—J'ai changé d'avis.

—Oh, d'accord. En tout cas, je suis contente de partir avec toi. Cette nuit, je ne sais pas pourquoi, mais j'ai envie de courir, de crier. Je me sens comme si j'avais avalé de la poudre à canon!

—Eh bien, ne crie pas, tu vas réveiller tout le village.

Cette mauvaise humeur cache quelque chose. Et en plus, il évite de me regarder dans les yeux.

—Qu'est-ce qui s'est passé? Tu as parlé à la veuve Loisel, ce soir?

Il se tourne enfin vers moi. Autour de son œil s'étale une marque violacée, comme s'il s'était pris un coup de poing.

—Tu t'es battu à la scierie? Les autres t'ont frappé?

—Te mêle pas de ça.

Arnoux a le sang chaud, c'est sûr. Mais c'est bizarre, il sent le parfum de la veuve. À mon avis, c'est plutôt son entrevue avec la vieille qui s'est mal passée. Mais pourquoi l'aurait-elle frappé?

—J'en peux plus, de Thiercelieux! dit Arnoux beaucoup trop fort.

On dépasse les dernières maisons, on traverse les champs aux abords du village et on longe le bois des condamnés. Le silence de la nuit n'est troublé que par le frottement de nos sabots sur le chemin, le froissement du vent dans les branches et un hibou qui hulule de façon sinistre. Dans le froid de la nuit, mes belles résolutions commencent à vaciller. Et si les choses tournaient mal, à la ville? Et si ce n'était pas le paradis que me promet Arnoux? Le village va terriblement me manquer.

Arnoux fait de gros efforts pour me cacher qu'il est en train de pleurer. Je crois que lui aussi a du mal à partir.

Soudain, un animal traverse le champ à notre droite, en direction du bois. On dirait un gros chien, mais je n'en avais encore jamais vu avec un pelage aussi noir. Il s'arrête sur le chemin et tourne la tête vers nous. Mon premier réflexe est de reculer d'un pas et de saisir la main d'Arnoux, mais la bête ne semble pas menaçante.

— C'est un loup! murmure Arnoux.

— Tu crois? Qu'il est beau!

La lumière de la lune rousse tombe en plein sur lui et ses yeux sont comme deux cercles d'or dans la nuit. Il file jusqu'à l'orée du bois.

— Tu es sûr que c'est un loup?

Alors la bête fait une sorte de jappement de chien, comme si elle nous appelait, et disparaît dans le bois. On se regarde, Arnoux et moi. Quelque chose s'est allumé au fond des yeux d'Arnoux: quelque chose d'exalté, de passionné.

Le loup surgit de nouveau du bois, juste devant nous. Je sursaute malgré moi. De ses yeux jaunes, il nous fixe un long moment, et puis il jappe une seconde fois et rentre sous le couvert des arbres. Arnoux me retient par la main.

Je me sens très bizarre, tout à coup. J'ai chaud, j'ai froid, j'ai des picotements dans les doigts. L'étrange envie de courir et de sauter, que j'avais déjà ressentie plusieurs fois ce soir, me saisit de nouveau, bien plus forte encore.

Je murmure tout bas:

— Et si on le suivait?

Ce loup est magnifique. Et je me rends compte que la route me fait peur, avec la ville au bout, et le village qui disparaît au loin. J'ai une envie folle de m'enfoncer dans les bois, à la suite de cet animal surgi de nulle part qui semble s'adresser à nous.

— Tu as raison ! dit soudain Arnoux. Le loup, la lune ! Ce sont des signes. Le loup nous a choisis.

— Des signes de quoi ?

— La légende du bois des condamnés…, murmure-t-il.

— La légende ? Quelle légende ?

En guise de réponse, il me montre le loup à vingt pas devant moi, qui semble m'attendre, et qui bondit en avant dès que je m'approche de lui.

— Il va peut-être nous conduire à un trésor ? dis-je en chuchotant.

— Évidemment, me répond Arnoux très sérieusement. Au trésor des condamnés.

On doit courir pour suivre le loup, qui se faufile avec grâce entre les arbres et à travers les sous-bois touffus. Il fait si noir, dans cette forêt ! Je manque de tomber plusieurs fois, j'accroche ma jupe grise à des branchages, mais je continue jusqu'à ce que la lumière de la lune inonde de nouveau mes pas. Je suis à l'orée d'une clairière, j'hésite à entrer en pleine lumière. Et si quelqu'un me voyait, avec mon baluchon et ma chemise de voyage ?

—Hé! chuchote Arnoux qui m'a rejointe. Il y a quelqu'un dans cette clairière!

Il a raison. De l'autre côté, j'aperçois deux silhouettes dans l'ombre des arbres. C'est la vieille folle et… et Lapsa! Je reconnais sa chemise de nuit d'enfant qui lui couvre à peine les genoux. Mon cœur se serre et un grand sourire me monte aux lèvres. Enfin l'occasion de lui parler avant de partir! Mais que fait-elle ici en pleine nuit?

—Elle pourrait suivre le loup avec nous!

—D'accord, mais attendons que la vieille folle fiche le camp, me répond Arnoux. Dis donc, je ne m'attendais pas à trouver Lapsa ici. Pas si sage qu'elle en a l'air, la rouquine. Et elle sort en petite tenue, en plus!

Je me tourne vers lui et je le surprends à la dévorer des yeux, avec un de ses regards de prédateur que je n'aime pas du tout.

—Elle va en faire une tête, quand on va lui dire qu'on suit le loup de la légende! poursuit-il.

Mais je ne veux plus qu'elle nous suive, Arnoux et moi. Alors je pose la main sur son bras pour détourner son insupportable regard posé sur elle.

—Non.

Je parlerai seule à Lapsa. C'est décidé, je retournerai au village plus tard dans la nuit s'il le faut, mais sans Arnoux.

—Quoi? Mais c'est toi qui l'as proposé!

Il a l'air très surpris.

—C'est… C'est à nous que le loup a fait signe. Pas à elle.

—Mais elle est là, dans ce bois! Tu ne connais pas la légende du bois des condamnés?

—Ben non.

—Des gens ont été pendus dans cette clairière, autrefois, certains disent même qu'ils ont été brûlés sur un bûcher.

—Un bûcher en pleine forêt? N'importe quoi.

—En tout cas, la légende dit qu'à chaque lune rousse, les fantômes des anciens condamnés choisissent quelques personnes dans le village et s'incarnent sous la forme d'animaux pour les guider jusqu'à un trésor. On dit aussi que ce trésor leur donne des pouvoirs extraordinaires. Écoute, il se passe quelque chose de spécial, ce soir. Tu ne la sens pas, toi, la magie?

Si… Je sens quelque chose d'étrange, moi aussi. Je n'ai jamais vu un loup se comporter comme ça. Je n'ai jamais vu une lune aussi bizarre, non plus. Et tout ça le jour où mes parents m'annoncent mon mariage et où on décide de partir tous les deux, Arnoux et moi… Ça ne peut pas être un hasard.

—Peut-être, mais si ce loup voulait que Lapsa le suive, il l'aurait appelée comme il l'a fait pour nous. Tiens, d'ailleurs, il est passé où?

Tout près de nous, un long hurlement monte vers la lune, un hurlement sauvage et puissant, qui me remplit le cœur de frissons d'excitation.

Dans la clairière, Lapsa sursaute, regarde autour d'elle d'un air apeuré et s'enfuit en dévalant la colline vers le village.

—Il l'a appelée, tu crois? murmure Arnoux.

—Oui. Mais elle a refusé son appel.

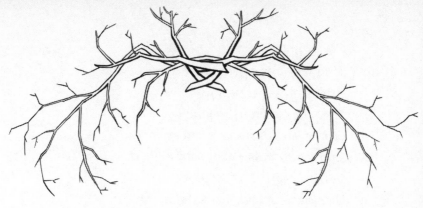

Frères humains, des fermes et des villages,
Laissez parler votre nature sauvage,
Car, si de nous souvenir avez gardé,
Le loup en vous saura vous libérer.
Vous nous voyez ici pendus :
Toute bleue est notre peau nue,
Elle est déjà dévorée et pourrie,
Nos corps ont depuis bien longtemps moisi.

Excusez-nous de vous faire trembler,
Notre apparence n'est pas de notre fait,
La pluie nous a lessivés et noyés,
Et le soleil desséchés et noircis.
Pies, corbeaux nous ont les yeux creusé,
Et arraché la barbe et les sourcils.
Mais nous sommes vos frères, mes enfants,
Victimes innocentes des puissants,
Pendus au bois pour un simple larcin,
Une pomme, un faisan ou un lapin.

Nous sommes vos frères condamnés,
Arrêtés, accusés et tués,
Par la loi cruelle des seigneurs.
Ce n'est pas de nous qu'il faut avoir peur.
Entrez sans crainte dans notre confrérie;
Celle des opprimés et des petits,
Qui, jour pour jour, tous les quinze ans,
Sous la lune rousse du loup hurlant,
De masques et de griffes se vêtissent
Pour réclamer et obtenir justice!

Nous venons vous demander vengeance,
Contre ceux qui nous ont fait violence
Suivez cette nuit l'appel de la lune rousse!
Courez pieds nus sur la roche, sur la mousse,
Plantez dans la chair vos crocs acérés,
Le sang et la terre seront bientôt mêlés,
Votre colère s'abat sur Thiercelieux,
Et avec elle, la terreur et le feu[1].

---

1. Librement inspiré de « La Ballade des pendus », de François Villon.

5

LUNE

Le loup nous attend de l'autre côté de la clairière. Ses yeux jaunes percent la nuit à travers les feuillages.

— La vieille est partie, allons-y! me souffle Arnoux.

J'ôte mes sabots et je les prends à la main pour faire moins de bruit. On se faufile à pas feutrés jusqu'au loup, qui détale de nouveau à notre approche, nous attirant toujours plus loin au cœur de la forêt.

Un craquement me fait tourner la tête en sens inverse.

— Tu as entendu?

— Laisse, c'est sûrement la brise dans les branches.

C'est vrai que l'air est agité. Il souffle un vent chaud, anormal à cette saison, qui soulève les feuilles mortes et agite les arbres.

Soudain, Arnoux plaque une main sur ma bouche et nous attire tous les deux derrière le tronc d'un grand noisetier. Mon cœur s'emballe. Pendant un instant, je me demande s'il va m'embrasser. Et puis je comprends soudain pourquoi il a eu ce geste : c'est juste parce qu'il a vu quelqu'un.

— Elle n'a pas voulu jouer avec moi au cerceau…, fait une petite voix nasillarde. Vilaine petite fille, elle était sûrement jalouse : il est si joli, mon cerceau…

C'est la vieille qui déambule toujours entre les arbres en caressant son pauvre bout de bois tordu. La tête penchée, elle s'éloigne en continuant de marmonner « C'est mon papa qui me l'a donné » et puis « Cette année-là, la mort a frappé ! »

— Complètement toquée, la mamie, pouffe Arnoux quand elle s'en va enfin. Elle va finir par avoir des ennuis, à se promener n'importe où comme ça pendant la nuit.

— Elle disait quoi ? « La mort a frappé » ?

— T'inquiète, elle a complètement perdu la boule, fait Arnoux en haussant les épaules. Hé, revoilà le loup !

Il réapparaît entre deux buissons d'églantines, puis disparaît de nouveau. Je me lance à sa poursuite, filant à toute vitesse pour ne pas le perdre de vue, sentant à peine la morsure des cailloux et des brindilles sur mes pieds nus. Il grimpe sur un sol en pente, mais je ne ressens aucune fatigue ; j'ai l'impression de voler plutôt que de courir. Et soudain, je déboule sur un grand espace dégagé : le sommet de la colline. C'est un endroit sinistre et battu par les vents, si rocailleux que la végétation n'y a jamais poussé – sauf un grand arbre au centre, qui semble mort.

— V... Vingt dieux, ce que tu cours vite..., fait Arnoux en me rattrapant, à bout de souffle.

— Le loup s'est arrêté au pied de l'arbre.

J'entends un nouveau craquement derrière nous, plus fort cette fois. Est-ce que la vieille nous aurait suivis jusqu'ici ? Mais j'ai beau scruter les buissons, je ne vois rien de plus que les feuilles agitées par le vent.

— C'est... C'est là, poursuit Arnoux. Je m'étais trompé : c'est là qu'on a pendu des gens, autrefois. Il paraît qu'on voyait l'arbre aux pendus à vingt lieues à la ronde, sur cette colline.

Cette histoire de pendus a l'air de le fasciner. Pas à pas, je franchis la distance qui me sépare de l'arbre, Arnoux sur les talons. Quel lieu étrange. La grande étendue rocheuse est presque plate. Sous la lune rouge, j'ai l'impression de marcher dans un lac de sang.

Le loup ne bouge pas un muscle, comme s'il était arrivé exactement là où il voulait nous guider.

De près, il est encore plus beau, avec son pelage noir et son regard si intelligent.

Je baisse la tête pour ne pas me cogner aux branches les plus basses de l'arbre. Il fait noir, là-dessous, et les vieilles racines desséchées ont crevé la roche par endroits. Au-dessus de ma tête, l'entrelacs de branches mortes dessine des formes torturées, où je crois voir des bêtes aux longues griffes et des gueules ouvertes sur des rangées de crocs. Mais je n'ai pas peur. En fait, je me sens étrangement chez moi, ici.

—J'adore cet endroit, chuchote Arnoux derrière moi.

—Où est passé le loup?

—Je ne sais pas. Il était sur ce rocher il y a une seconde.

Je fais le tour de l'arbre en courant : un loup, ça ne disparaît pas comme ça. L'espace est entièrement dégagé à cent pas à la ronde, impossible de se cacher... mais il a disparu.

—Eh, viens voir !

—Tu l'as retrouvé ?

—Regarde.

Arnoux s'est accroupi entre deux énormes racines. Un rayon de lune tombe sur une grosse pierre ronde, où se découpe une marque claire en forme d'empreinte de loup. Dessous, une cavité s'enfonce dans la roche, tout juste assez grande pour y fourrer la main.

—On dirait que cette empreinte a été… j'sais pas, peinte avec un enduit plus clair, fait Arnoux. Comme si quelqu'un avait caché quelque chose ici et qu'il avait placé un signe pour le retrouver. C'est peut-être le trésor des pendus?

Je le défie d'un mouvement du menton

—Vas-y, mets le bras dans le trou!

Il me répond par un petit rire embarrassé.

—Il y a peut-être des araignées… ou des serpents.

—Laisse-moi faire.

Je le pousse gentiment et j'enfonce mes doigts dans la cavité. C'est mousseux et humide au début, puis je sens une roche plus sèche, aux aspérités coupantes…

—Il y a quelque chose là-dedans? des louis d'or? des bijoux?

—Attends, Arnoux.

Mes doigts se referment sur quelque chose de dur, une sorte de prise en métal faite pour une main. Quand je la tourne comme une poignée, un mécanisme fait un petit «clic» et je sens la grosse pierre bouger légèrement. Je tire un grand coup vers moi pour la faire basculer, mais elle est trop profondément enfoncée dans le sol.

—Aide-moi!

Arnoux entoure ma poitrine de ses bras et me tire violemment en arrière. Mes doigts s'écorchent sur la prise en métal, je réprime un cri de douleur. Le rocher s'arrache en partie de la terre, mais retombe aussitôt.

— C'est trop lourd, fait Arnoux. On n'a qu'à revenir demain avec une pelle. Je vais chercher une pierre blanche pour faire une croix.

J'attends un petit moment dans le noir, puis je sens de nouveau ses bras m'enserrer. Je suis tirée en arrière, beaucoup plus fort, cette fois. La pierre bascule enfin tout entière et roule sur le côté.

— Merdaille, Arnoux, tu m'as presque arraché le bras ! Tu as une sacrée force !

Comme il ne me répond pas, je me retourne et découvre, stupéfaite, un visage dans l'ombre qui n'est pas celui d'Arnoux.

— Pardon si je t'ai fait mal, fait une petite voix abattue.

— Raoul ? C'est toi ?

— Vingt dieux ! crie Arnoux qui revient derrière nous. Raoul ? Qu'est-ce que tu fiches ici en pleine nuit ?

— C'est toi qui nous suivais, c'est ça ?

Raoul me répond « oui » de la tête avec un sourire.

— Tu as dit que tu partais du village, Lune, marmonne-t-il. Je voulais… je voulais partir avec toi.

Je retire ma main du trou et je grimace en découvrant les égratignures sur mon bras.

—Tu saignes? fait Raoul, l'air catastrophé.

—Sacrée sainte Vierge! dit Arnoux, les yeux ronds comme des billes. Regardez un peu ça!

Sous la grosse pierre, il y a un coffre à moitié enfoui dans la terre. Un vrai coffre au trésor, comme dans les livres d'aventures de Lapsa. On se regarde tous les trois, un grand sourire aux lèvres.

—Tu ne vas peut-être pas avoir besoin de partir du village, finalement, me dit Raoul.

—Un peu, qu'on va rester! Ce sera enfin nous, les riches, maintenant! exulte Arnoux.

On déterre le coffre en grattant la terre avec nos mains jusqu'à le sortir entièrement. Il est très vieux et il n'a même pas de serrure. Le couvercle s'ouvre en grinçant. Dans la pénombre, je distingue un gros sac de cuir et une liasse de papiers jaunis à moitié mangés par les vers. Arnoux se précipite sur le sac de toile, dont il répand tout le contenu par terre avec des yeux brillants de convoitise. Mais cela ne produit pas le tintement de l'or.

—Il n'y a pas un sou, là-dedans! crie-t-il avec rage.

—Qu'est-ce que c'est? fait Raoul.

Je ramasse un objet en bois recouvert d'une matière étrange qui ressemble à des poils d'animal. C'est un masque: un masque de loup. Il est d'un réalisme saisissant.

—Des... Des vieilleries! s'écrie Arnoux. Des fatras, des papiers!

Au dos du masque, des lettres gravées au couteau dessinent des phrases qui semblent briller à la lumière de la lune, et que je lis à voix haute :

— « *Je fais le serment de la confrérie du loup*
Je n'aurai ni collier ni maître.
Je mordrai, je vengerai.
Mes frères loups,
jamais je ne trahirai.
Le jour, un masque porterai,
et la nuit mon vrai visage de loup. »

— Tu sais lire, Lune? me demande Arnoux, stupéfait.

—Lapsa m'a appris.

—Qu'est-ce que ça veut dire? demande Raoul.

Je ramasse l'un des feuillets jaunis, au hasard.

— « *Cette nuit, ils vont payer. Ça va être un vrai feu de joie, ils comprendront enfin...* »

— Qui a écrit ça? fait Raoul.

—C'est signé : « Éloi ». Je crois que c'était le prénom du père de Lapsa.

Raoul ramasse un autre feuillet et me le tend avec empressement :

—Et sur celui-là, il y a écrit quoi?

— « *Cette nuit, je suis enfin vengée, la confrérie des loups a frapp...* » La suite est trop abîmée, on dirait que ce papier est beaucoup plus vieux que l'autre. Mais je crois que c'est signé «... *ine Loisel*», comme la mère Loisel, peut-être. Ou une de ses ancêtres?

Soudain, juste derrière moi, une bête pousse un hurlement. Je me retourne en sursaut: c'est Arnoux, qui s'est glissé derrière nous pour nous faire peur. Il a mis un masque de loup et l'effet est effrayant. On dirait une créature monstrueuse, mi-homme mi-animal, prête à nous dévorer. Il retire le masque, mais au fond de ses yeux brûle toujours une lueur sauvage.

—Il n'y a peut-être pas d'or, mais regardez un peu ces pattes de loup!

Il a enfilé une sorte de gant en peau de bête, dont chaque doigt est prolongé par une véritable griffe très pointue. Certaines sont noircies au bout, comme si elles portaient encore des traces de sang séché.

Un sourire me monte aux lèvres.

—J'ai une idée.

Les deux autres se tournent vers moi.

—Pourquoi ce serait à nous de partir du village? Pourquoi ce ne serait pas à eux de payer? Et si, au lieu de fuir, on rendait coup pour coup, on se battait, on leur montrait qu'ils n'ont pas tous les droits?

—Qu'est-ce que tu veux dire, de qui tu parles? demande Raoul.

—Ces masques, ces griffes de loups, des gens les ont portés avant nous pour se venger. Nous aussi, on pourrait les prendre et s'en servir contre ceux qui nous dictent leur loi.

— J'adore! fait Arnoux, les yeux brillants.

— Tu veux dire… tuer des gens?

Je souris.

— Non, Raoul. Juste leur donner une bonne leçon. Leur rabattre leur caquet. Leur montrer qu'ils ne sont pas tout-puissants. Moi, j'irai voir Cingly et je lui flanquerai la frousse de sa vie. S'il le faut, je lui couperai les roustons pour qu'il ne m'épouse jamais!

— Et moi, fait Arnoux, j'irai voir la mère Loisel, qui joue les grandes dames à la scierie et qui ne m'a jamais laissé ma chance. Et je lui défoncerai ses foutues machines qui m'ont fait trimer sang et eau!

Je lui prends la main et je la serre fort.

— On ira la voir ensemble, ta mère Loisel.

Arnoux se tourne vers Raoul.

— Et toi, Bouboule, de qui tu veux te venger?

Le pauvre roule des yeux paniqués, mais, pris d'une idée subite, il se reprend et pose sa main sur les nôtres à son tour.

— De mon maître, le boulanger. Ce sera un service à rendre à tout le village, non?

Je le regarde droit dans les yeux.

— Ton maître qui n'a jamais eu de respect pour toi, surtout, Raoul. Qui se moque de toi, qui t'exploite.

Il inspire un grand coup et continue :

— Mon maître pour qui je travaille depuis que je suis gosse, qui me traite comme un chien, qui me laisse toutes les corvées et qui ne m'a jamais autorisé à faire mon propre pain !

Je regarde nos trois mains entremêlées.

— On va tous mettre un masque.

— Ça tombe bien, il y en a trois, remarque Arnoux.

— Et on dirait qu'ils s'ajustent parfaitement à nos visages.

Le masque déforme étrangement la voix de Raoul, elle semble plus profonde, plus puissante.

— Mettez les griffes, aussi.

Et nous voilà. Trois loups accroupis dans la nuit sous l'arbre mort, en haut de la colline des pendus. Trois visages de bête grimaçants. Six pattes velues, aux griffes acérées.

— Maintenant, répétez après moi, dis-je en les regardant droit dans les yeux :

« Je fais le serment de la confrérie du loup.

Je n'aurai ni collier ni maître…

Je mordrai, je vengerai.

Mes frères loups,

jamais je ne trahirai.

Le jour, un masque porterai,

et la nuit mon vrai visage de loup. »

6

LAPSA

Je me réveille en sursaut avec un sentiment d'inquiétante étrangeté. Je secoue la tête, et mes cheveux se libèrent d'un coup sur mes épaules; une cascade rousse qui fait ressurgir l'image de la renarde qui m'a guidée dans le bois. L'écho d'un hurlement résonne encore à mes oreilles… je ne sais plus où j'en suis.

Les draps m'emprisonnent, je me suis emmêlée dedans et je peine à en sortir. Je m'aperçois en me levant que ma chemise de lin est tachée de vert et de brun, j'ai des griffures de ronces sur les mollets et de la boue séchée entre les orteils. Je me regarde dans le petit miroir que Grand-Mère m'a offert l'an passé, et je constate que j'ai aussi une égratignure sur la joue. Avec ma crinière en bataille, cela me donne un air sauvage… J'essaye de jeter des éclairs avec mes yeux pour m'amuser, et aussi pour me préparer à la bataille du matin : je ne suis peut-être pas dans mon assiette, mais je n'ai pas oublié ma promesse.

Je vais découvrir ce qui est arrivé à mon père, et la première personne à interroger, c'est ma grand-mère. Je sais déjà que ça ne va pas être simple.

Je me débarbouille dans la bassine de fer-blanc, enfile une robe d'un vert profond et décide de garder mes cheveux lâchés. Je les discipline comme je peux, me battant avec les boucles, puis, quand je me sens prête à affronter le monde, je rejoins la cuisine d'un pas décidé.

Sauf que le monde se réduit au chat qui miaule pour obtenir un peu de lait… Une marmite mijote sur la cuisinière, un bol bleu attend d'être lavé dans l'évier et la maison est silencieuse.

— Grand-Mère ?

Elle ne répond pas. La boutique est fermée, elle n'a même pas ouvert les volets. Je vérifie qu'il n'y a personne dans le jardin ni dans la remise. Et zut. Je sens déjà ma détermination s'affaisser. Bon. Je me sers un bol de lait, j'en donne un peu à Ariane qui se frotte à mes jambes en ronronnant, comme si sa vie en dépendait. Éloi, mon père, cet inconnu… Il devait être jeune… ma mère est morte à seize ans, juste deux ans de plus que moi, et je ne l'imagine pas avec un vieux de vingt-cinq ou trente ans !

J'ai l'impression de me réveiller d'un long sommeil. La vieille folle a tout bouleversé. S'il n'est pas mort avant ma naissance, peut-être est-il encore en vie ? Et pourquoi Grand-Mère m'a-t-elle menti ?

Je tourne en rond dans la cuisine, de plus en plus énervée. Je lave les bols, surveille la soupe, passe le balai, mais rien ne me distrait de mes questions. J'enrage. Et Grand-Mère qui ne revient pas... J'ouvre en grand les fenêtres pour profiter du soleil de septembre. Et là, je trouve un petit paquet bleu. On dirait un cadeau. Ce doit être Lune ! Elle l'a posé sur les silhouettes que nous avons gravées dans le bois du chambranle. Je le dénoue, déchire le papier de soie et découvre un vieux carnet à la couverture de cuir. Je l'ouvre, émue. En première page, il y a le prénom de ma mère, Flore, tracé à la plume. Les pages suivantes sont couvertes d'aquarelles aux couleurs un peu fanées. Elle a représenté le village, la boutique de Grand-Mère, le lavoir... Les premiers dessins sont malhabiles, puis ils s'améliorent. Je suis subjuguée. Je reconnais tout, comme si elle avait peint ce que je vois au quotidien avec mon regard. C'est doux, les contours sont fins et l'ensemble donne une impression de sérénité.

Je tourne les pages, arrive à la fin du carnet. Les dernières aquarelles contrastent avec le reste : la lune, la nuit sont représentées avec une sorte de rage. Elle a même fait plusieurs dessins au fusain. Les toutes dernières pages ont été arrachées. Est-ce que ma mère l'a fait elle-même? Est-ce mon père qui a gardé des dessins pour lui? Je l'imagine tourner les pages comme je le fais maintenant et je pleure. Je serre le carnet contre moi, essayant de trouver dans son odeur de poussière et de cuir vieilli un parfum qui serait celui de mes parents. Lune n'aurait pas pu me faire un tel cadeau… Alors qui a bien pu me donner ça? Une petite feuille glisse alors du carnet, sur le plancher.

Ma très chère enfant,

J'espère que ce carnet te plaira, je sais que j'aurais dû te l'offrir plus tôt, mais j'aimais tellement regarder les dessins de ta mère que j'avais de la peine à m'en séparer. Tu es assez grande maintenant pour comprendre et apprécier ce cadeau, c'est pourquoi je te le fais en ce jour particulier. Je t'aime, même si je n'ai jamais pu te le montrer.

Je me fige. C'est mon père? C'est lui qui m'a écrit ce mot? Ce n'est pas signé… Mais il y a bien écrit «mon enfant», et qui d'autre que lui aurait pu avoir ce carnet si précieux pour ma mère? Après tout, s'il n'est pas mort, pourquoi ne serait-il pas revenu pour mon anniversaire?

Non, non, non. Ça n'a aucun sens, il n'a aucune raison de revenir quatorze ans après, juste parce que je le souhaite.

Je ne peux m'empêcher d'espérer. Ce carnet est peut-être la preuve qu'il est vivant !

J'ai la tête qui va exploser. Il faut que je sorte trouver des réponses.

Qui pourrait me renseigner ? Je passe en revue les villageois… il y a bien notre voisin Martin, le barbier, qui m'adore et me répondrait sans doute. Mais j'ai surtout envie de parler à Lune que je n'ai pas vue depuis samedi.

Avant de partir, je cache le carnet sous mon lit, mais je garde le mot qui allait avec.

Mais bien sûr ! La mère de Lune peut me dire la vérité ! Elle m'adore. En plus, on pourra réfléchir à ce mystère avec Lune. Je suis certaine qu'elle m'aidera de son mieux. Je finis de ranger la cuisine en hâte, et sors par le jardin pour rejoindre la maison de mon amie. J'espère qu'elle n'est pas partie aux champs. La brume du matin s'est levée, laissant place à un soleil chaleureux. Je cours presque sur le chemin, tant je suis pressée de la voir : avec tout ce qui s'est passé depuis hier, j'ai l'impression qu'un siècle s'est écoulé. Quand j'arrive dans la cour de la ferme, sa mère est en train de jeter des miettes et un peu de grain aux poules qui accourent en gloussant. C'est une femme qui a dû être jolie, autrefois, mais que les travaux des champs ont vieillie avant l'âge. Ses bras rouges, ses cheveux grisonnants, ses rides marquées lui donnent des airs de vieille alors qu'elle a juste dépassé la trentaine. Mais son giron est accueillant et elle m'a souvent fait de gros câlins réconfortants quand je tombais sur un caillou ou qu'une guêpe me piquait.

—Salut, la belle! m'accueille-t-elle joyeusement. Ça te va bien de laisser tes cheveux lâchés.

—Bonjour, dis-je en sentant le rouge me monter aux joues.

—Va falloir t'habituer un peu aux compliments, les garçons vont pas tarder à te tourner autour... si c'est pas déjà fait! dit-elle en riant. Tu viens voir Lune?

—Oui.

—Tu vas devoir attendre deux minutes, elle vient de partir au champ pour me ramener la Blanquette. Cette chèvre mange trop de luzerne, elle va finir par se rendre malade, je vais l'enfermer dans la grange...

—Ça tombe bien, je voulais vous parler à vous aussi.

—Ben va donc chercher Lune, on pourra discuter en écossant les petits pois, j'en ai tout un panier, on ne sera pas trop de trois. Je ne sais pas ce qu'elle a fichu cette nuit, si c'est la lune rousse qui l'a empêchée de dormir, mais ce matin, elle lambine comme une limace…

—Qui ça? Blanquette?

—Ben non…, répond-elle, avant de comprendre que je la taquine. Ah, tu changes pas! File, chipie!

Je me dirige si vite vers le champ de luzerne que je manque de buter sur Lune, assise au bord du chemin pour retirer des cailloux de ses sabots.

—Lune!

Mon amie sourit de toutes ses dents en me voyant.

—Tu m'as manqué! s'exclame-t-elle. Faut que je te parle!

—Qu'est-ce qui se passe? Moi aussi, j'ai plein de choses à te dire.

—Pas ici.

Elle m'attrape par la main et m'entraîne en courant loin de sa maison. Nous avançons d'un bon pas vers le champ où paisse la dernière chèvre de sa famille. Les temps sont durs pour eux, ils en avaient trois avant, et quatre vaches. Nous nous tenons par la main et la chaleur de sa paume dans la mienne me rassure. Qu'est-ce que c'est bien de la voir! Je me rends compte que je n'arrête pas de penser à ce que m'a dit la vieille folle. Mon père parti. Ma mère et moi abandonnées. Et ce cadeau étrange, juste le jour de mon anniversaire.

—Viens, on va se mettre à l'ombre, me dit Lune.

Nous nous asseyons face à face, sur un rocher plat.

— Tu commences ? me demande-t-elle.

— Non, vas-y, lui dis-je, voyant qu'elle bouillonne.

— Mes parents veulent me marier.

— Quoi ? Déjà ? Mais avec qui ?

— C'est ça le pire. Avec le frère du baron, répond-elle, avec une moue de dégoût.

— Cingly-le-cinglé ? m'exclamé-je, horrifiée.

Elle éclate de rire :

— C'est exactement ce que j'ai dit à mon père !

— Mais… tu ne vas pas accepter quand même ?

— Ben non, qu'est-ce tu crois !

— J'espère, parce que…

— Quoi ?

— Tu sais bien, ma mère, elle est tombée enceinte à quinze ans et elle est morte.

— Lapsa, ma belle, dit mon amie en me serrant contre elle. Ne t'en fais pas ! Je vais pas me laisser faire.

— Et tu penses à quoi ?

— Euh… je… je ne sais pas encore… Enfin, je vais bien trouver, tu me connais !

Justement, je la connais. Et je sais quand elle ment, surtout. Je suis sur le point de l'asticoter, mais elle se dépêche de changer de sujet :

— Et toi, alors ? Tu avais aussi quelque chose à me dire ?

Je vois, elle ne veut pas m'en dire plus. Je ferais mieux de ne pas la braquer.

— Oui, j'ai vécu un truc étrange. Tu sais, la folle...

— Celle qui se prend pour une petite fille?

— Je l'ai vue cette nuit..., dis-je.

— Qu'est-ce que tu faisais dans le bois des condamnés?

— J'ai suivi un renard... Mais comment sais-tu où j'étais?

— Je le devine, bécasse, la vieille y passe son temps, répond-elle en me donnant une bourrade. Elle t'a dit quoi?

— Que mon père avait disparu du village avant ma naissance!

— Quoi? Je croyais qu'il était mort après avoir reçu un coup de sabot? Le fameux accident dont ta grand-mère ne veut pas te parler? s'exclame-t-elle, stupéfaite.

— Oui. Mais je me demande si Grand-Mère n'a pas complètement inventé cette histoire! D'autant que j'ai trouvé quelque chose d'étrange ce matin sur ma fenêtre. J'ai d'abord cru que c'était de toi, mais c'est un carnet à dessins, et tu dessines comme une patate.

— Fais voir!

— Je ne l'ai pas ramené, mais il y avait ce mot avec.

Lune lit le message attentivement et fronce de plus en plus les sourcils.

—C'est peut-être mon père? Tu vois bien, il dit «mon enfant». Et s'il n'a pas eu d'accident, comme le dit la vieille folle, il est peut-être revenu!

—Je ne voudrais pas te faire de la peine, ma Lapsa, répond Lune avec une moue sceptique, mais j'ai peur que tu t'emballes trop vite. La vieille folle raconte peut-être n'importe quoi… Et, même s'il n'était pas mort il y a quatorze ans, c'est peut-être le cas aujourd'hui. En plus, je ne vois pas pourquoi il serait revenu. Ce mot peut être écrit par n'importe qui, et je n'aime pas trop ça, c'est drôlement bizarre quand même, non?

Je ne dis rien, je sais que Lune tente de me protéger. Je ne peux pas le nier : elle a bien plus les pieds sur terre que moi. Je ne dois pas m'emballer.

—Tu as essayé d'en parler avec ta grand-mère?

—Elle ne me dira rien. Comme d'habitude. Du coup, je voulais le demander à ta mère.

—Je ne suis pas sûre qu'elle voudra te parler, répond Lune en fronçant les sourcils.

—Pourquoi?

—Personne n'en parle jamais. Cette histoire d'accident de cheval dont on ne sait même pas l'origine, c'est la seule chose qu'on nous ait jamais servie. Et, crois-moi, j'ai tout fait pour en savoir plus, affirme-t-elle.

—À nous deux, on devrait pouvoir lui tirer les vers du nez, on est trop fortes… Tu te rappelles quand on a obtenu de Raoul qu'il mange des fourmis pour tes beaux yeux ?

—Ouais, c'était très drôle !

—Allez, elle nous attend pour écosser des petits pois.

—Honnêtement, je n'ai pas très envie de passer du temps à discuter avec elle en ce moment, mais si c'est pour découvrir la vérité au sujet de ton père, je peux faire un effort.

—Et je pourrais aussi lui dire à quel point je trouve ça bête de te marier à Cingly-le-cinglé !

—Non, ça, c'est mon affaire, d'accord ?

Elle doit voir à ma tête que je suis un peu vexée.

—Mais t'en fais pas, ma Lapsa, c'est pas que je n'ai pas besoin de toi ! Tu te rappelles ce qu'on s'est dit ? À la vie, à la mort, d'accord ?

—D'accord, dis-je, un peu rassérénée.

Lune me fait alors un second câlin. Je me sens infiniment bien dans les bras de mon amie, comme si toute cette tendresse levait le gros poids que je porte depuis que j'ai compris que Grand-Mère me mentait.

—Allez, la belle, on ramène cette chèvre et on cuisine ma mère !

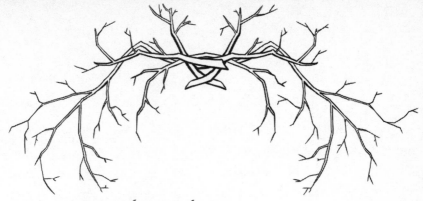

Seigneurs, beaucoup de conteurs
vous ont raconté beaucoup d'histoires :
l'enlèvement d'Hélène par Pâris,
le malheur et la souffrance qu'il en a retirés ;
les aventures de Tristan
d'après le beau récit de la Chèvre,
des fabliaux et des chansons de geste.
On raconte aussi dans ce pays
l'histoire d'Yvain et de sa bête.
Cependant, jamais vous n'avez entendu raconter
la magnifique amitié
entre Lapsa la renarde et Lune la louve,
une amitié terriblement belle et passionnée.
Ces deux jeunes filles, en vérité,
avaient grandi tout à côté ;
elles s'étaient souvent, c'est vrai,
amusées et retrouvées.
J'en viens à mon histoire.
Apprenez donc l'origine
de leur lien et de leur tendresse,
la raison et le sujet
de leur alliance.

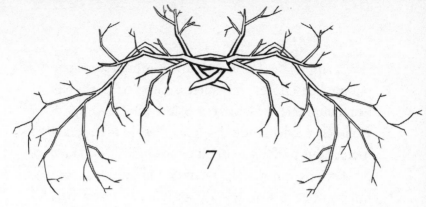

7

LAPSA

—Alors, comme ça, tu as quelque chose à me demander ? rappelle la mère de Lune quand nous entrons, bras dessus bras dessous.

Je ne réponds pas, hésitant sur ce que je dois dire, car je ne veux pas attaquer trop frontalement.

—Tu n'avais pas des haricots à nous faire équeuter ? demande Lune pour détourner la conversation.

—Euh… Non, ce sont des petits pois. Attrapez-les donc, dit sa mère.

Lune me fait un clin d'œil. Depuis le temps, on se comprend sans parler, surtout quand il s'agit d'embobiner les adultes. Nous nous saisissons d'un gros panier à deux anses rempli de gousses vertes, et nous le versons sur la grande table de la cuisine. On en a pour une bonne heure, c'est parfait !

La mère de Lune et moi commençons par papoter de choses et d'autres. Lune ne parle pas beaucoup, elle est vraiment fâchée contre sa mère. Celle-ci me demande des nouvelles de ma grand-mère, nous parlons aussi du temps qui reste chaud, de la scierie qui marche bien, de Dib, qui a encore fait tomber le seau dans le puits et qui s'est pris une rouste par son père adoptif; c'est la famille d'Arnoux qui l'a recueilli quand il est devenu orphelin.

— Le pauvre garçon! s'exclame la mère de Lune. Il a bien du malheur chez ces gens...

— Arnoux prend soin de lui, intervient Lune, agacée.

— Oui, mais il travaille à plein temps à la scierie, maintenant, non? Il ne peut pas empêcher son père de battre Dib comme plâtre à la moindre occasion. Et puis... Arnoux s'en est pris aussi, des coups, ce pauvre garçon. Son père, quel vilain homme!

— Tu sais ce qui est arrivé à la vraie famille de Dib? demande Lune.

— Oui, hélas... ils ont attrapé la variole, les pauvres. Ta grand-mère n'a pas pu les sauver, me dit-elle.

— Vous avez une bonne mémoire.

— Bah... c'est que oui, ma foi! Je me rappelle tout ce qu'il y a à savoir sur le village: par exemple, vous savez que la vieille folle a vu ses parents se faire tuer par des brigands quand elle était petite ? C'est pour ça qu'elle est frappadingue !

—Non ? s'étonne Lune. Je ne pensais pas qu'il s'était passé des choses si graves au village !

—Et encore ! Il y a eu la pauvre Martha, dont on n'a jamais retrouvé le corps. Elle a disparu à peu près à l'époque où tes parents…

Elle s'interrompt soudain, comme si elle était allée trop loin. On est près du but ; je bats le fer tant qu'il est chaud.

—Justement…, dis-je d'une petite voix trem-blotante. J'aimerais tellement savoir plus de choses sur mon père.

La mère de Lune ouvre de grands yeux, elle ne s'attendait visiblement pas à ça. Elle semble gênée.

—C'est que… c'est loin, dit-elle en essuyant ses mains sur son tablier.

—Tu viens de dire que tu te rappelais tout, proteste Lune.

—S'il vous plaît…, dis-je. Ma grand-mère n'en parle jamais. C'est mon père, et je suis la personne du village à en savoir le moins sur lui.

—Tu ne crois pas qu'il y a une bonne raison pour laquelle ta grand-mère ne t'en parle pas ? répond-elle en râlant.

Elle essaye de se défiler, mais Lune intervient :

— Maman, tu dis toi-même qu'elle prend toujours Lapsa pour une enfant !

Moi non plus, je ne lâche pas l'affaire.

— Sauf que je grandis. À mon âge, il y a déjà des filles qui se marient.

La mère de Lune jette un regard inquiet à sa fille, qui fronce les sourcils. Elle n'a sans doute pas envie d'une dispute. Ma manœuvre fait mouche. La mère soupire et dit :

— Ton père… Éloi. C'était un beau gars. Et costaud avec ça.

— Je lui ressemble ?

— Oui, c'est sûr que tu lui ressembles…

— Dites-moi ce qui s'est passé… s'il vous plaît !

— Et pourquoi que je t'en parlerais, si ta grand-mère a rien voulu te dire ?

— Parce que… parce que vous êtes un peu comme ma mère, dis-je en me forçant à sangloter un peu, et que le jour où Grand-Mère mourra, ce qui peut arriver n'importe quand à son grand âge, c'est vers vous que je viendrai.

La mère de Lune me regarde avec apitoiement. Ça marche : les larmes perlent dans ses yeux.

— Ooh, ma petite Lapsa… Mais ta mamie ne va pas mourir !

—Tu sais bien que ça finira par venir, et alors, Lapsa sera seule au monde si elle ne peut pas au moins compter sur nous, dit Lune en enfonçant le clou.

Je ne me sens pas très à l'aise avec ce que nous faisons, mais savoir que tout le monde connaît la vérité sauf moi, cela me met dans une telle rogne que je suis prête à toutes les filouteries. Et, comme Lune me soutient, je culpabilise moins vis-à-vis de ma grand-mère qui serait très fâchée de ce que je fais là.

—Eh bien… ton père est parti. Il a quitté le village du jour au lendemain, en laissant ta mère toute seule, enceinte de toi.

—Alors c'était vrai! Il n'est pas mort! hoqueté-je, stupéfaite. Mais pourquoi est-il parti? Vous le savez?

—Tout ce qu'on sait, répond la mère de Lune avec prudence, c'est que la ferme de ses parents a brûlé. Ils sont morts tous les deux à l'intérieur.

Ils ont été brûlés? Mais quelle horreur! Je n'imagine pas mort pire que celle-là… quelle douleur terrible ce doit être. Je comprends soudain que ma grand-mère a voulu m'épargner ces images affreuses. J'ai peine à respirer en me les représentant suffoquant dans la fumée… brûlants dans des cris abominables… La mère de Lune poursuit, sans s'apercevoir de mon trouble:

—Après ça, il n'avait plus un sou. Il était ruiné et il n'avait plus rien à offrir à ta mère, Lapsa. Pas même un toit. Sauf qu'elle était enceinte, la pauvrette, parce qu'ils avaient pas attendu le mariage… Une honte ! C'est pour ça qu'il a pris la poudre d'escampette. Enfin, c'est ce que tout le monde dit.

— Mais alors… où est-il ? demande Lune, voyant que je suis toute confuse.

— Personne ne le sait, il n'est jamais revenu, répond sa mère.

J'éclate en sanglots, n'en pouvant plus. C'est donc vrai, la vieille folle avait raison : mon père n'a jamais eu d'accident. Grand-Mère m'a vraiment menti ! Mon père est vivant, c'est sûr. La mère de Lune, désolée, vient me prendre dans ses bras et je pleure dans son giron, comme une petite fille.

— Mais alors… Il est sans doute quelque part ? dis-je, pleine d'espoir, repensant au cadeau.

La mère de mon amie me redresse le menton et plante son regard dans le mien.

— Écoute-moi bien, Lapsa : si ta grand-mère t'a menti, c'est justement pour éviter que tu t'imagines pouvoir le retrouver. Il ne s'est pas soucié de ta mère ni de toi, il n'a jamais écrit ni fait passer de ses nouvelles par le colporteur… Il vous a abandonnées. C'est pour cela que personne ne t'a rien dit. Parce que ce n'était pas une bonne personne, dit-elle avec une grande tristesse. Ne fais pas l'erreur de le chercher.

Les informations se bousculent dans mon cerveau. Mon père serait donc un lâche? Il nous aurait abandonnées sans même un regard en arrière? Et ma mère qui en est morte de chagrin… C'est comme s'il l'avait tuée.

Lune me raccompagne chez moi. Nous n'avons pas besoin de parler, elle a passé son bras sous le mien, et me tient bien serrée contre elle. Martin, le barbier, est devant son échoppe, en train de balayer le pas de sa porte.

— Bonjour, jeunes demoiselles! s'écrie-t-il, joyeux, avant de voir que j'ai la mine défaite. Eh bien! Lapsa, que se passe-t-il?

Je ne dis rien, persuadée que je ne pourrai pas m'empêcher de me remettre à pleurer si j'ouvre la bouche.

— Un gros chagrin, répond Lune à ma place.

Martin a l'air très embêté. C'est quelqu'un de gentil et de prévenant, qui fait attention à autrui. Il a toujours été notre voisin, il a l'âge de ma mère et ils jouaient ensemble quand ils étaient petits, d'après ma grand-mère.

— Qu'est-ce qui pourrait te redonner le sourire, Lapsa? Est-ce que tu veux que je t'offre un chocolat chaud?

Je renifle un coup et acquiesce.

—O... Oui... merci.

—Alors, venez vous asseoir dans la cuisine.

Nous le suivons dans sa petite maison. Elle ressemble beaucoup à la nôtre avec la boutique dans la pièce de devant et la cuisine derrière, donnant sur le jardin qui jouxte notre potager ; j'y jette un œil pour voir si ma grand-mère est rentrée, et je l'aperçois en train de désherber le pied des framboisiers.

La boutique du barbier est sobre, claire. Au centre trône le fauteuil où les hommes se font raser. Le lieu est propre, on sent que Martin aime son métier. La petite cuisine est du même type, mais en moins ordonnée : une grande table couverte de papiers et de livres, beaucoup de lumière, une grosse cuisinière ventrue, un peu graisseuse. C'est un endroit simple, à l'image de mon ami. Une porte donne sur ce qui doit être sa chambre, mais elle est fermée. À moins qu'il dorme à l'étage, comme moi ?

Il nous fait asseoir et prépare le chocolat. Il prend le pain de cacao, en râpe des copeaux qu'il met dans de belles tasses de porcelaine avec du sucre. Il verse ensuite l'eau chaude dessus et fait mousser le tout avec un petit fouet.

—Vous voulez de la cannelle dedans ?

—Oui, merci ! nous exclamons-nous d'une seule voix.

Comme un magicien, il sort de sa poche un petit paquet, noué d'un ruban.

—J'ai dû retourner en ville pour en chercher. Vous avez fait fondre mon stock, mesdemoiselles!

—Bah, rigole Lune, on en prend moins souvent que toi, quand même!

—Tiens, Lapsa, dit-il en ouvrant le paquet, tu garderas le ruban pour nouer tes cheveux, ça ne fait pas sérieux comme ça.

—Ça me plaît, à moi, les cheveux défaits.

—Ta mère aimait beaucoup ça, elle aussi…

—C'est vrai? Tu la connaissais bien?

—Oui. Très bien, même.

—Tu vas pouvoir me dire alors. Où est parti mon père avant ma naissance?

Martin se rembrunit soudain. Il inspire un grand coup.

—S'il te plaît, insisté-je. Je sais que toi, tu me diras la vérité.

—Je ne sais pas…, hésite-t-il. On dit qu'il a quitté la région. Mais moi, je n'étais pas au village quand il a disparu. J'étais en apprentissage à la ville.

—Mais tu sais s'il est toujours vivant?

—Je n'en sais rien, il n'est jamais revenu, plus personne n'a eu de nouvelles. Et puis ce n'était pas une bonne personne. Flore et moi, on était très amis depuis l'enfance, mais, quand elle l'a rencontré, il l'a changée. Il avait une très mauvaise influence sur elle. À mon avis, il est mort depuis le temps.

Voyant que je suis de nouveau au bord des larmes, Lune détourne la conversation. Elle pose des questions sur la ville, où il est allé faire son apprentissage et, tandis qu'ils pépient tous les deux, je prends une décision.

Je vais confronter Grand-Mère à ses mensonges : elle me doit des explications. Qu'elle ait voulu me protéger quand j'étais petite est une chose, qu'elle me cache la vérité, toute horrible soit-elle, aujourd'hui que je suis presque adulte, c'en est une autre. Je salue rapidement Martin et Lune en les remerciant. Lune fronce un peu les sourcils ; elle ne comprend pas pourquoi je la plante là.

—Je rentre, je vais voir mamie, dis-je avec détermination.

Lune comprend tout de suite que je suis décidée à l'affronter et elle sourit, pour m'encourager. Elle sait que ce n'est pas simple pour moi de supporter les conflits.

Je sors de chez Martin par le jardin sur l'arrière de la maison, et me retrouve nez à nez avec Grand-Mère dans notre propre potager. J'ai à peine ouvert la bouche qu'elle me dit d'un ton sec :

—Tu es consignée dans ta chambre !

—Quoi ? Tu veux dire quoi, là ?

—C'est pourtant clair : tu n'as plus le droit de sortir sans me demander l'autorisation.

—Je sais ce que ça veut dire être consignée ! Je ne comprends pas ce que j'ai fait pour mériter ça !

—Tu nous as espionnés. Pire, tu m'as accusée de te mentir devant mes amis !

—Et ce n'est pas vrai, peut-être ? Tu prétends depuis des années que mon père est mort dans un accident ! Et la mère de Lune dit qu'il est parti, qu'il nous a abandonnées, maman et moi ! Il est peut-être toujours vivant !

—Je ne veux pas en parler. Allez ! Disparais de ma vue avant que…

Elle est tellement rouge à ce moment-là que j'ai peur qu'elle fasse une attaque. Je monte dans ma chambre sans un mot. Je comprends qu'elle ait voulu me protéger. Personne n'a envie de découvrir que son père est une ordure. Mais je ne supporte plus ses mensonges, j'ai l'impression d'étouffer. Elle ne veut pas que je grandisse, et moi, ça me fait peur de découvrir la vérité. Mais j'en ai besoin. J'aimerais qu'elle le comprenne.

Je sais qu'elle ne me dit pas tout, pourtant je n'arrive toujours pas à croire à cette histoire d'abandon : Éloi ne peut pas avoir laissé ma mère enceinte comme ça ! Ils étaient sans doute amoureux ! J'ai comme le sentiment qu'il y a autre chose, que ce n'est pas si simple… et que c'est pour ça que Grand-Mère continue à nier.

Moi qui voulais des réponses, je n'ai gagné qu'une punition.

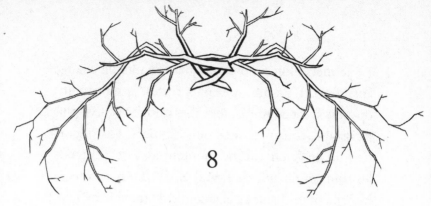

8

LUNE

Lᴀ ᴘʟᴇɪɴᴇ ʟᴜɴᴇ ᴇsᴛ ᴘᴀssᴇ́ᴇ ᴇᴛ ʟᴇ ᴛᴇᴍᴘs ᴇsᴛ nuageux. La nuit orangée de la veille a laissé place à un ciel d'encre, idéal pour agir.

Dans le village, il ne reste qu'une lanterne allumée devant la porte du manoir, mais personne ne peut nous voir, embusqués sous l'auvent de la taverne.

—Je… J'arrive pas à le sangler, gémit Raoul en se débattant avec son masque de loup.

Je me glisse derrière lui et je passe la boucle dans l'anneau.

—Il ne faut pas mettre tes griffes avant, tête de linotte, sinon, tu n'y arriveras jamais!

—Merci, Lune, fait-il d'une voix qu'il essaye de rendre virile.

Je mets mon propre masque et le monde change aussitôt. Les ombres sont plus nettes, la nuit moins opaque. C'est comme si tous mes muscles étaient plus puissants, tous mes sens plus aiguisés. Les odeurs de foin et de cheval me montent au nez, j'entends les souffles chauds de Raoul et d'Arnoux à côté de moi. La petite lueur de la lanterne du manoir, au loin, semble illuminer toute la place.

La seule chose qui me rende triste, c'est que Lapsa aurait pu être là, elle aussi, si elle avait suivi le loup. On s'était dit *« Lapsa et Lune, c'est pour la vie »*. Si seulement j'avais su où allait nous mener le loup noir et ce qu'il allait nous faire découvrir… Ce soir, mon amie et moi, nous ne sommes plus ensemble. Est-ce qu'elle aurait fait le serment, elle aussi ? Est-ce qu'elle aurait décidé de nous suivre dans nos vengeances ? Mais de qui aurait-elle voulu se venger, elle ? Je ne le saurai jamais et ça me fait un pincement au cœur.

—Pourquoi on ne s'attaquerait pas à Cingly, plutôt ? demande Raoul. Pourquoi mon maître en premier ?

Je soupire.

—On en a déjà parlé, Raoul. On a dit : le boulanger d'abord. Le pain, ça touche tout le monde. Les gens nous prendront tout de suite au sérieux, et tous ceux qui ont des sales choses à cacher commenceront à avoir peur.

—Ouais, murmure Arnoux. Je veux que le village tout entier se réveille dans la peur, demain. Ces abrutis comprendront que rien ne sera plus jamais comme avant. Je veux qu'ils pissent dans leurs pantalons, que le baron ferme à double tour la porte de son manoir et que chaque pouilleux des alentours se couche avec l'angoisse au ventre, quand la nuit tombe. On va se venger de ceux qui nous ont fait du mal, ça oui, mais aussi de Thiercelieux tout entier !

Je tapote le dos de Raoul.

—Le boulanger d'abord. Tu verras, c'est du tout cuit.

—Du tout cuit, ha ha ! fait Arnoux dans son masque, et son ricanement sonne comme un grondement de bête fauve.

Il avance la tête et vérifie qu'il n'y a personne sur la place. Son masque lui donne une silhouette inhumaine, le museau allongé, les mâchoires puissantes. Avec son dos arrondi et ses gestes tout en souplesse, il n'a plus rien de commun avec l'ouvrier en blouse de travail qui sortait de l'usine hier seulement. Maintenant, c'est un prédateur de la nuit, un animal sauvage et redoutable. Un frisson me parcourt le corps quand il effleure mon bras avec les griffes acérées de ses manchons en peau de loup.

—Tu es magnifique avec ça, me glisse-t-il à l'oreille d'une voix complice. On dirait que tu as été une fauve toute ta vie. Ce masque était vraiment fait pour toi.

— Un masque ? j'éclate de rire. Pour la première fois de ma vie, j'ai l'impression de ne pas en porter !

Je ne peux pas le voir sourire, mais ses yeux brillent de joie dans les fentes de sa tête de loup.

— Toi et moi, dit-il en posant ses deux mains sur mes épaules, on est invulnérables, rien ne peut nous arrêter…

« Toi et moi. » J'ai bien entendu ? Est-ce que ça veut dire que… Je passe la paume velue de ma main de louve sur le museau de son masque. Je me rapproche de lui jusqu'à toucher son corps avec le mien.

— Bon, on y va ? demande Raoul. On va finir par se faire repérer !

— T'inquiète, Bouboule, fait Arnoux en s'éloignant de moi. Ces idiots de villageois dorment tous à poings fermés.

Il quitte l'abri de l'auvent et se fond dans les ombres. Pieds nus sur les pavés inégaux de la place, j'ai le pas sûr et silencieux. Une bougie à la main, Raoul nous ouvre la porte de derrière et nous fait entrer dans le fournil, une petite pièce voûtée aux murs de pierre. L'odeur enivrante du pain cuit imprègne les murs.

Ce qui frappe aussitôt, c'est la saleté repoussante de l'endroit. Le sol est couvert de farine, de moisi et de crottes de souris. Et le désordre est indescriptible. Au fond du pétrin surnage un amas noirâtre et puant, là où le boulanger travaille sa pâte. Le four est maculé de suie, des montagnes de cendres se sont accumulées sur les côtés et à l'entrée. C'est à se demander comment il arrive encore à enfourner ses pâtons. Difficile de se frayer un chemin à travers les bûches, les panières vides étalées partout et les sacs de farine empilés jusqu'au plafond.

—Quel cloaque. Impossible d'imaginer que c'est aussi dégoûtant ici, quand on entre dans la boutique toute propre…

—Parce que la boutique, Lune, c'est moi qui la nettoie, murmure Raoul. Mais il ne me laisse jamais entrer ici. Quand j'y vais, c'est en cachette quand il dort.

—Avec un atelier aussi crasseux, je comprends pourquoi son pain est si mauvais, crache Arnoux.

—Hé, regardez! fait Raoul devant un chaudron rempli d'un mélange pâteux, à côté d'un grand sac de jute rempli d'une matière poudreuse.

—Quoi? dit Arnoux.

—C'est de la craie! Il la mélange avec la farine! Je me doutais depuis longtemps qu'il fraudait, mais je n'avais jamais trouvé de preuve.

—Ah, le voleur!

D'un coup de griffe, Arnoux éventre un sac de farine qui répand son contenu en pluie sur le sol. Je surprends le regard paniqué de Raoul, qui se maîtrise à grand-peine. Je pose une main sur son épaule.

—On va tout saccager, c'est bien ce que tu voulais, non ? Il l'aura, sa bonne leçon, ton maître.

J'attrape un pot de graines de sésame sur une étagère et le renverse au-dessus du pétrin, qui se remplit de petits points clairs, je saute à pieds joints sur une panière jusqu'à la réduire en miettes et je donne des coups de pied furieux dans les sacs de farine, qui craquent sous le choc. Puis, avec un morceau de charbon ramassé dans le four, j'écris sur le mur en lettres capitales :

«BOULANGER, TU ES UN MONSTRE»

Raoul, timidement, ramasse quelques poignées de cendres qu'il jette au sol, n'osant pas faire plus. Il a les cheveux en sueur et la respiration saccadée : ça lui coûte d'abîmer cet endroit. Mais moi, je sais qu'il doit le faire.

—Tiens, je lui dis en lui tendant un nouveau pot en grès, rempli de levain. Balance-le par terre.

—Mais on va nous entendre ! répond-il en roulant des yeux paniqués.

—Et alors, Bouboule, de quoi t'as peur? fait Arnoux. Tu es un loup ou tu es le chien-chien de son maître? Il a peur de casser le pot, le gentil toutou?

—Tais-toi! crie Raoul, excédé. Je ne suis pas un chien!

Je lui tends le pot de nouveau.

—Prouve-le. Casse-moi ça et fais autant de bruit que tu peux. Les gens viendront voir cet endroit et ils sauront que ton maître leur empoisonne les tripes en leur vendant de la farine frelatée. C'est justice, Raoul!

—Ouais, fait-il en acquiesçant de la tête. Tu as raison.

Il prend le pot entre ses pattes griffues, le lève au-dessus de sa tête, puis ferme les yeux et, après une grande inspiration, le projette de toutes ses forces contre le sol carrelé, où il explose en un millier d'éclats.

—Justice! Justice! hurle Arnoux, déchaîné, qui éventre tous les sacs, déchiquette les panières à coups de griffes et renverse les étagères, pendant que Raoul ramasse la planche à enfourner et s'en sert pour donner de grands coups sur les sacs éventrés.

Pris d'une idée subite, Arnoux s'arrête soudain sur un tas de bûches près du four et se met à entasser à côté des brindilles et du petit bois. Puis, il ramasse le bougeoir sur la table.

—Qu'est-ce que… qu'est-ce que tu fais? Tu veux allumer le four? demande Raoul.

—C'est pas le four que je vais allumer, Bouboule. C'est ce foutu fournil tout entier. Le feu va purifier tout ça, il va réduire cet endroit en cendres. La justice, Raoul, la justice !

—Mais tu es fou ! Le village a besoin de ce four !

—Le village, on s'en fout, on s'en ira d'ici quand tout sera fini. Et ils peuvent bien crever de faim dans leur trou, moi ça me fera bien rire. Pas vrai, Lune ?

Mais je ne lui réponds pas ce qu'il voudrait entendre :

—Et il fera comment pour devenir boulanger, Raoul, quand il n'y aura plus de fournil ? Elle sera où, la justice, si tu brûles les preuves que le boulanger fraude sur la farine ? La justice, ce n'est pas tout détruire !

Arnoux s'arrête dans son geste, stupéfait. Une goutte de cire chaude tombe de la bougie sur son bras nu.

—Aïe !

Il me jette en regard plein de colère.

—Qu'est-ce qui te prend, Lune ?

Des « boums » au-dessus de nos têtes nous font lever les yeux. Le boulanger se réveille et sort de son lit. Les chiens du baron donnent de la voix de l'autre côté de la place. On entend déjà le garde champêtre qui hurle à pleins poumons : « Alerte ! Le village est attaqué ! »

— Il faut filer! crie Raoul.

—Venez! fait Arnoux en disparaissant dans la rue.

—Attends, dis-je à Raoul. Il faut qu'on trouve un moyen d'empêcher le boulanger de refermer cette porte. Sinon, personne n'entrera ici, il continuera ses fraudes et personne ne saura, pour la farine!

Raoul acquiesce de la tête. Il saisit la porte en entier, tout le panneau, une main de chaque côté, et il la soulève de ses charnières aussi facilement que si elle avait été en papier. Et puis, avec un grand «han!», il l'envoie valdinguer dans la rue.

—Je me sens… Je me sens fort comme un ours, fait-il, tout étonné lui-même.

Je le regarde, bouche bée, jusqu'à ce qu'il me prenne par le bras.

—Le boulanger descend les escaliers. Viens vite, Lune, tu vas te faire attraper si tu restes ici!

9

LUNE

RAOUL ME PREND PAR LE BRAS ET ON DÉTALE tous les deux dans les rues du village plongé dans la nuit, pendant que la voix du capitaine et les cris furieux du boulanger s'élèvent derrière nous. Plus que trois maisons avant de disparaître dans les champs, plus que deux, plus qu'une… mais, sous le porche de la dernière maison, celle des triplés, une lumière jaillit soudain et un homme accroupi se relève à notre approche, une bougie à la main.

—Hélène? fait-il à voix basse.

On s'arrête net. Je plaque le bras sur la poitrine de Raoul et on se cache tous les deux à l'angle de la maison.

—C'est Pablo, chuchote Raoul.

—Le vagabond?

Tout le village sait qu'il couche avec Hélène, la femme du garde champêtre.

—Il faut enlever nos déguisements, Lune. Vite, avant qu'il nous voie.

Facile à dire! Les gants de loup m'arrivent presque jusqu'aux coudes et collent à la peau. Je m'entaille la main sur les griffes accrochées au bout des doigts, la douleur me fait comme une aiguille de glace qui me remonte dans tout le bras.

—Hélène? fait la voix étouffée de Pablo. Montre-toi, c'est moi!

On se regarde l'un l'autre en l'entendant s'approcher. Mon cœur bat comme un fou dans ma poitrine pendant que je me démène sans succès pour ôter mon masque. Et si on avait fait une grosse bêtise? Et si on se faisait prendre et qu'on finissait comme les gueux de l'arbre aux pendus?

Quelqu'un surgit alors derrière nous, nous frôle et s'avance à la rencontre du vagabond.

—Pablo? Qu'est-ce que tu fais debout en pleine nuit?

Arnoux! C'est Arnoux qui vient nous sauver!

—*Madre dé dios...*, fait Pablo, stupéfait. C'est... C'est à cause dé la lune, elle est trop brillante. Jé n'arrivais pas à dormir.

Arnoux lève les yeux vers le ciel: la nuit est d'un noir d'encre.

—Pas terrible comme excuse, Pablo. C'était hier, la lune brillante.

Ça y est, j'ai enfin enlevé mon masque, je n'aurais jamais pensé que ce serait aussi difficile. Je le cache dans mon dos, ainsi que mes griffes. Il était temps, Pablo s'avance avec sa bougie et nous aperçoit.

—Aye, c'est vous, les enfants ? Jé croyais que c'était…

Ce jeune Espagnol est arrivé au village il y a deux ou trois ans ; personne ne sait d'où il vient ni ce qu'il a fui. Avec son accent étranger et ses cheveux mal peignés, il n'inspire pas confiance aux gens d'ici, sauf à la femme du garde champêtre, apparemment.

Dans notre dos, des pas remontent la rue rapidement ! Arnoux nous fait signe discrètement de ne pas rester là. Raoul et moi, on se cache derrière un tonneau de pluie et on ne bouge plus.

—T'inquiète pas, Pablo, dit Arnoux d'une voix beaucoup trop forte, pendant que le capitaine et le garde champêtre arrivent en courant, tout essoufflés. On ne dira à personne que tu traînes dans les rues en pleine nuit en appelant Hélène !

—Qui appelle ma femme ? fait le garde champêtre d'une voix furieuse.

—Monsieur Pedro, c'est vous ? demande le capitaine.

—Pablo, monsieur lé capitaine. Mon nom, c'est Pablo.

—C'est bien ce que je dis! Que faites-vous ici, avec cette bougie à la main?

—Jé… J'avais envie de me promener, monsieur…

—Et toi, Arnoux, tu ne dors pas? reprend le capitaine.

—J'ai entendu du bruit, répond Arnoux au capitaine d'une voix détachée, alors je suis venu voir ce qui se passait.

—Comment ça, tu as entendu du bruit? Tu habites à l'autre bout du village, répond le capitaine avec une certaine suspicion.

—Et alors? C'est interdit?

—La boulangerie a été saccagée et on vous trouve tous les deux dans les rues en pleine nuit. C'est forcément l'un de vous deux qui a fait le coup, ou même les deux.

—Pourquoi tu criais le nom de ma femme, toi? hurle le garde champêtre à l'encontre de Pablo.

—Jé ne criais pas, monsieur.

—Tu lui as fait du mal, sale étranger?

—Non, monsieur. À votre femme, jé n'ai jamais fait de mal.

—C'est lui! C'est lui qui a fait le coup, j'en suis sûr!

—Arrête de brailler, vieux bouc, fait le capitaine. Tu m'empêches de réfléchir.

— Moi? Moi, je braille? fulmine l'autre.

Je risque un coup d'œil en passant la tête sur le côté du tonneau. Le garde champêtre est un petit homme bedonnant, à moitié chauve, qui porte toujours un vieil uniforme mité aux manches. Il est rouge de rage. Le capitaine, lui, lisse sa moustache du doigt, l'autre main crispée sur la crosse en bois de son pistolet. Il ne nous a pas vus, mais il regarde toujours Arnoux d'un air soupçonneux.

— C'est sûrement à cause de moi qu'Arnoux s'est levé, dit une petite voix de l'autre côté de la rue.

C'est Dib! Il tombe vraiment à pic!

— Quoi, toi aussi, tu es réveillé? fait le capitaine en sursautant. Mais tout le monde est debout en pleine nuit, dans ce village!

— J'ai perdu la clef de la grange par ici, hier soir, fait Dib, elle a dû tomber de ma poche. Mais ne le dites pas à mes parents, mon père me collerait une rouste!

Bien joué, Dib, ton histoire de clef! Ça va disculper Arnoux. Tout le monde sait que les parents d'Arnoux, qui ont adopté Dib, traitent mal le gamin et le battent à la moindre occasion.

— Alors c'est pour ça que tu étais sorti en cachette, s'écrie celui-ci, en entrant dans son jeu. Je m'inquiétais, moi, je te cherchais partout! Ne t'en fais pas : on va la retrouver, cette fichue clef, et Papa ne saura jamais que tu l'as perdue.

—Pas si vite, grommelle le capitaine. Vous allez nous suivre jusqu'au manoir de monsieur le baron, tous les trois, et nous tirerons cette affaire au clair.

—C'est lui! C'est lui qui a fait le coup! continue de beugler le garde champêtre en pointant Pablo du doigt.

Quand ils s'éloignent enfin, Raoul et moi, on sort de notre cachette. Il affiche un grand sourire soulagé.

—Eh bien, on peut dire merci à Arnoux, chuchote-t-il. Un peu plus et on se faisait pincer avec nos masques. Il nous a sauvé la mise.

—Mais c'est injuste, ils vont accuser ce pauvre Pablo!

—T'inquiète pas, fait-il, je suis sûr que ça va s'arranger pour lui. Il n'a rien fait, pas vrai? Bon, et maintenant, il vaut mieux rentrer chacun chez nous avant que nos parents se réveillent.

Il me laisse dans la ruelle avec un petit signe de la main, pressé de se mettre à l'abri. Je crois qu'il en a eu assez pour cette nuit et que toute cette histoire le dépasse un peu. On n'aurait peut-être pas dû l'embarquer dans cette aventure.

Je rentre chez moi et je me faufile de nouveau par la porte de l'étable; mes parents ronflent comme des cochons dans leur chambre et je n'ai aucun mal à me glisser jusque dans mon lit sans les réveiller. Le sommeil m'avale en une seconde.

10

LAPSA

Soudain, au petit matin, je suis réveillée par des cris qui retentissent sur la place. J'ai laissé la fenêtre entrouverte et j'entends clairement tout ce qui se passe dehors. Ça vient de chez le boulanger! J'ai l'impression qu'il y a de nombreux villageois, et qu'ils ne sont pas contents. J'enfile ma robe et mon tablier en vitesse et je descends les escaliers sur la pointe des pieds pour ne pas me faire repérer par Grand-Mère. Heureusement que sa chambre donne sur le jardin, sans quoi les cris l'auraient déjà réveillée et elle m'empêcherait d'aller voir…

En évitant les marches qui craquent, je me faufile dehors. Le spectacle que je découvre est incroyable: une douzaine de personnes sont réunies devant la boulangerie, poussant des exclamations effarées.

C'est une scène totalement inédite dans notre village si calme! Je vois les triplés qui discutent de façon animée tandis que le capitaine se dispute avec le garde champêtre. Le vieux chevalier, Don Quitousse, et les deux sœurs Rossignol, entrent dans la boutique au moment où le volet de l'étage s'ouvre sur la servante du château.

—Il est parti! Il n'y a plus rien, il a pris toutes ses affaires! crie-t-elle à la cantonade.

Plus de boulanger? Vu la qualité du pain, je ne suis pas certaine que ce soit une mauvaise nouvelle. Je m'approche en tâchant de ne pas trop me faire remarquer, mais, de toute manière, personne ne s'intéresse à moi. Je rentre dans la salle où officie Raoul d'habitude pour vendre l'abominable pain de son patron; mais, apparemment, c'est dans l'arrière-boutique que ça se passe, là où se trouve le four. Personne n'y entre jamais d'habitude et là, il y a foule. Je me glisse entre deux villageois pour constater les dégâts: tout est ravagé, des pots cassés, des sacs de farine éventrés. Et c'est si sale! Le sol est répugnant, et sur le mur, une inscription:

«BOULANGER, TU ES UN MONSTRE.»

On me bouscule, je me retrouve dans un coin et je me rends compte, en observant tout avec attention, que la saleté ne date pas de cette nuit. C'est ce que confirme le tavernier, ce brave homme, qui ouvre de grands yeux devant l'état du four.

— Mais comment a-t-il pu nous faire manger du pain cuit là-dedans?

À côté, je remarque un petit tas de branches et de brindilles, comme si quelqu'un avait voulu faire démarrer un feu. Mais personne ne semble prêter attention à ce détail.

— Regardez! Regardez! Il mettait de la craie dans la farine! s'exclame un villageois.

— Quelle ordure! Pas étonnant qu'il se soit enfui.

— Où est-il? Où est cette crapule de boulanger? s'écrie Cingly-le-cinglé en agitant son fusil. Il est parti? Je m'en vais le rattraper, moi!

— Oh, calme-toi Cingly, tu vas finir par blesser quelqu'un, se fâche le tavernier.

C'est bien le seul homme du village qui puisse lui faire des remarques: si Cingly ne l'écoute pas, il risque de ne plus rien avoir à boire avant un moment. Le chasseur baisse aussitôt sa pétoire.

— La question, intervient le capitaine qui vient d'entrer, c'est de savoir pourquoi Pablo a fait ça.

— C'est pourtant évident, rétorque le garde champêtre qui le suit, toujours prêt à le contredire.

Ces deux-là, ils ne peuvent pas se sentir, ils se disputent sans arrêt pour savoir lequel des deux a le plus d'autorité : le capitaine est chargé des affaires courantes dans le village et le garde champêtre doit surveiller les bois et les champs. Mais, dans un si petit bourg, ils se marchent sans arrêt sur les pieds. Quand il y a une affaire de braconnage qui concerne directement le garde champêtre, le capitaine intervient au prétexte que cela implique un villageois. Lorsqu'il y a une dispute entre paysans à propos des cultures, ce qui est du ressort du capitaine, le garde champêtre s'en mêle parce que cela a trait aux champs… Le baron les laisse faire, ravi de ne pas avoir à gérer tout ça. Le garde champêtre poursuit :

— Pablo voulait nous montrer à tous que le boulanger nous roulait dans la farine ! Nous roulait dans la farine… ha ha ha ! La bonne blague !

Consterné par la mauvaise blague de son ennemi juré, le capitaine lui répond avec condescendance :

— Voyons, ce n'est pas un homme tout seul qui a fait ça. Pablo n'est pas le seul coupable.

— Et à quoi vous le voyez ? demande Cingly.

— Regardez ce carnage, dit-il avec un grand geste. Ce n'est pas possible de faire cela tout seul !

C'est vrai qu'il y a beaucoup de bazar, mais une personne seule et bien énervée pourrait peut-être faire ça… Par contre, je ne pense pas que Pablo sache écrire. Je scrute l'inscription pour essayer d'y reconnaître une écriture que je connaisse, sans succès.

Je remarque soudain qu'une trace de boue tache le mur près de la porte qui donne sur le jardin : on dirait des griffes… des griffes de loup ou d'ours ! Le capitaine et le garde champêtre, trop occupés à se disputer, ne l'ont vraisemblablement pas vue.

Soudain, l'Ancien entre par le jardin et, d'un coup de manche, efface la tache griffue.

Pourquoi a-t-il fait ça ? Il efface un indice ! Je n'ai pas le temps de m'interroger plus avant, car derrière lui surgissent la mère Loisel et… ma grand-mère. Je me rencogne derrière les sacs de farine éventrés pour ne pas me faire repérer. Si elle m'attrape ici alors que je suis supposée être consignée dans ma chambre, je serai punie jusqu'à mes dix-huit ans ! Heureusement, les adultes autour de moi sont bien plus grands et je prends la poudre d'escampette sans écouter la suite. J'hésite à rentrer à la maison. Je ne risque pas grand-chose : Grand-Mère me croit encore au lit, et elle est bien occupée. C'est le bon moment pour profiter d'une liberté que je n'aurai pas dans les jours qui viennent.

Avant de me précipiter, je fais le point : je ne peux pas imaginer que les deux événements ne soient pas liés, ce serait un hasard vraiment étonnant, surtout dans un village où il ne se passe jamais rien. D'abord, le cadeau mystérieux : Lune a beau en douter, je pense vraiment qu'il s'agit de mon père. Ensuite, la mise à sac de la boulangerie ; Pablo est le coupable idéal pour les autres parce que c'est un vagabond, mais je ne l'imagine pas faire quoi que ce soit de ce type. C'est le genre de personne qui remet les oisillons dans leur nid quand ils en tombent et qui prend soin des chats errants. Une fois, je l'ai aidé à mettre une attelle à un chiot qui s'était blessé la patte dans une bagarre. Et quel intérêt aurait-il à faire ça ? Comment aurait-il su que la farine était coupée ? Aussitôt, je pense à Raoul. Il va être catastrophé en voyant ce qui est arrivé à la boulangerie. Est-ce qu'il savait que son patron mettait de la craie dans le pain ? J'en doute, c'est un bon gars, comme Pablo ; il aurait fait quelque chose pour y mettre fin. Mais alors qui ? Quel est le lien avec la réapparition de mon père ?

La seule piste que j'ai, c'est l'Ancien et son geste étrange pour effacer la trace sur le mur. Je devine sans peine qu'il cache quelque chose. Peut-être que je pourrais aller jeter un œil chez lui ? J'y suis déjà entrée, mais la boutique m'a toujours fait un peu peur avec les peaux de bêtes qu'il accumule pour faire ses chaussures.

Je remonte la rue vers chez moi, déterminée. La porte de la cordonnerie est ouverte, comme d'habitude et, après avoir jeté un œil à droite et à gauche pour vérifier que personne ne me regarde, je me glisse dans la boutique. C'est le même bazar indescriptible que d'habitude : des tas de peaux, des tas de chaussures à réparer, des tas d'outils sur la table. L'échoppe est étroite et sombre, ça sent fort le cuir et la térébenthine, le tabac, aussi, car l'Ancien fume beaucoup. Je fais attention à ne pas buter dans le baquet plein de poix. Je laisse mon regard errer sur la table encombrée. Un vieux carnet traîne là, au milieu des livres amoncelés. On dirait un journal de bord, il y a une plume qui sèche dans l'encrier, juste à côté. Et un bout de papier qui en dépasse. Je glisse ma main vers le carnet et m'en saisis. C'est un morceau du journal local, la *Feuille de Provins*.

Incendie criminel à Thiercelieux. Dans la nuit du 4 octobre, la ferme des frênes a été incendiée volontairement, comme a pu le constater le garde champêtre du village : des fagots à demi calcinés ont été retrouvés contre le mur de la grange, à côté d'une inscription à la craie injuriant les propriétaires. Le feu a vraisemblablement pris dans le foin avant de se propager au toit de la ferme, tuant ses deux occupants, mons...

Un incendie à la ferme des frênes ? C'est où, ça ? Pas dans le village, je le saurais. Est-ce que ce serait celle de mes grands-parents ? D'après la mère de Lune, ils sont morts dans l'incendie de leur ferme, eux aussi ! Je retiens ce nom : « ferme des frênes ».

Ça s'arrête là. Je ne sais pas de quand date l'article, ça a l'air très vieux, sans doute plusieurs années : le papier est friable. J'ai dû le déchirer sans m'en rendre compte en le prenant. L'autre moitié est sûrement encore dans le carnet. Je le rouvre. Sur la première page, il y a des dessins terrifiants : des têtes de loups ! En les regardant avec plus d'attention, je me rends compte qu'il s'agit en fait de masques de bêtes avec un cordon pour les nouer derrière la tête. Il y a des instructions de fabrication. Je n'ai jamais vu le cordonnier fabriquer autre chose que des souliers ou des bottes, pour qui ferait-il des masques à tête d'animaux ?

Je m'apprête à secouer le carnet pour faire tomber l'autre bout de l'article, mais j'entends des voix à l'extérieur et je prends peur. Je file par la porte de derrière qui donne sur le jardin, comme chez nous.

Je repense au petit tas de bois dans la boulangerie saccagée ; quelqu'un a donc déjà incendié des bâtiments de la même manière, il y a longtemps. C'est peut-être la même personne. Mais qui ? Mon père ? Je ne veux pas l'imaginer en pyromane. Et pourquoi l'Ancien garde-t-il cette coupure de journal ? Il connaissait peut-être les propriétaires ? Sans doute les aimait-il bien ? A-t-on retrouvé le coupable ? Hélas, je vais avoir bien du mal à lui demander tout ça sans avouer que j'ai fouillé chez lui !

Le garde champêtre pourrait peut-être me renseigner, mais il est avec Grand-Mère… et, en y réfléchissant bien, il ne tenait sans doute pas encore cette charge, à l'époque. Il a à peine trente ans. Comment faire?

Et puis, si mon père est réellement revenu, je me demande où il peut bien se cacher. Est-il dans les bois? Dans ce cas, il a peut-être un feu de camp ou une tente? Ou alors, il s'est installé dans une grotte. Où le chercher? Je m'enfonce dans la forêt, portée par mon instinct.

Je passe une demi-heure à fureter encore dans le bois. Je ne trouve rien: à un moment, j'ai un espoir, mais c'est un abri de chasse dans un arbre, sans doute celui de Cingly-le-cinglé.

Soudain, un éclair roux file dans un buisson près de moi. C'est la renarde! Je suis si heureuse de la revoir! Je comprends qu'elle est venue pour me guider, pour m'aider, comme la première fois. Je ne sais pas pourquoi j'ai cette chance, mais j'en profite. Je rentre dans les fourrés sans trop savoir où je vais et, soudain, ma renarde montre le bout de son museau pour me faire bifurquer. Elle attend un peu; quand je suis à moins d'un mètre d'elle, elle repart en courant. Elle est si belle, sa fourrure a l'air douce. J'aimerais la caresser, mais elle file devant moi. En tout cas, je suis sur la bonne voie! Je la suis en accélérant le pas, espérant qu'elle va m'attendre, et je débouche dans une clairière. Il n'y a personne à part ma protectrice. Elle me lance un long regard, j'ai l'impression qu'elle me parle. Et elle repart en trottinant jusqu'au pied de la colline. Elle s'arrête, me jette un coup d'œil. Je comprends que je ne dois pas aller plus loin. En effet, sur le sommet de la colline, sous l'arbre mort, il y a quelqu'un. Je me cache derrière un gros noisetier pour ne pas me faire repérer. Je ne vois pas bien, des lambeaux de brume m'empêchent de détailler la silhouette. Est-ce un homme ? une femme ? L'ombre, vêtue de noir, me tourne le dos et fouille entre les racines. Et puis la silhouette se redresse et repart en courant par l'autre côté de la colline. Quand je me retourne, la renarde a disparu aussi.

Se pourrait-il que ce soit mon père ? Je me précipite pour aller voir ce qu'il cherchait, mais je ne trouve rien qu'un trou entre les racines… Peut-être quelque chose y était-il caché ? Peut-être qu'il l'a pris ?

Je dois rentrer, je vais finir par me faire attraper par Grand-Mère. J'hésite, j'aimerais tellement savoir… mais les renards savent se montrer patients pour parvenir à leurs fins. Je ne serai pas plus avancée si je me fais punir encore plus sévèrement. Une chose est sûre : il se passe quelque chose de tout à fait anormal à Thiercelieux. Et j'ai besoin de comprendre quoi. Tant pis pour Grand-Mère. Je ne peux pas renoncer si vite ; même si je suis punie, je décide d'aller chez Lune. J'ai besoin de savoir, et elle peut m'aider.

—Je te ressers?

—Oui, merci, ta tisane est excellente, elle a un goût de miel…

—J'y mets du coucou séché.

—L'oiseau?

—Mais non, bécasse, la fleur! Tu n'y connais vraiment rien!

—C'est toi la sorcière! Chacune son domaine.

—Ne m'appelle pas comme ça! s'exclame Delphine, offusquée. Si Lapsa t'entend!

—Elle dort tranquillement, ta petite, ne t'en fais pas. Laisse-moi me concentrer.

La mère Loisel s'absorbe alors dans la contemplation de son pendentif, une grosse perle translucide, dans laquelle semblent bouger des volutes de brume. Delphine, silencieuse, attend. Un léger bruit lui fait tourner la tête. C'est l'Ancien qui entre à pas de loup dans la cuisine de l'apothicairerie. Il pose une main apaisante sur l'épaule de Delphine et observe avec elle la voyante, plongée dans ses visions.

—Ah! s'écrie-t-elle soudain.

—Quoi? répondent d'une seule voix ses deux amis.

—Je l'ai perdu!

—Mais qui?

—Je ne sais pas, il y a quelqu'un qui me veut du mal et je n'ai pas réussi à le voir!

—Ce ne serait pas Arnoux? Il a une dent contre toi depuis que tu l'as renvoyé.

—Peut-être, oui… Il est en rage, je le vois traversé de colère, de violence. Je l'ai vu avec le masque de loup, répond la mère Loisel.

—Avec qui était-il?

—Avec la petite Lune. Et un autre, un garçon, je crois. Mais je ne sais pas encore qui.

—Il n'y avait pas Lapsa, alors? demande Delphine.

—Non, je ne l'ai pas vue. Et ce n'est pas un mal: cette ombre qui rôde autour de moi, je sens qu'elle concerne aussi certains des jeunes loups.

—Pourquoi avoir mis Arnoux à la porte, alors? demande l'Ancien de sa voix grave et profonde. C'était pratique de pouvoir le surveiller à la scierie!

—Il m'a quand même fait des avances! Et ses propos étaient vraiment sales, j'aurais bien aimé t'y voir. Avant même de devenir loup, il était incontrôlable; je pense qu'il valait mieux l'éloigner de moi, au contraire. En tout cas, je sens quelque chose de sombre, mais ce n'est pas encore assez défini, je vieillis, mes pouvoirs s'amenuisent.

— Qu'est-ce que tu racontes ?! s'exclame Delphine.
C'est normal, les loups viennent juste de se réveiller. On
en saura plus rapidement, ne te mets pas martel en tête.

— C'est que… je m'en veux toujours de ne pas avoir
vu, la dernière fois, dit la voyante d'une voix triste.

— Tu veux dire… si on avait deviné plus tôt ?
demande l'Ancien.

Les trois anciens s'entre-regardent, le visage grave.
Les vieux souvenirs les submergent tandis que le jour
se lève.

11

LUNE

C'EST MA MÈRE QUI ME RÉVEILLE, EN OUVRANT en grand le volet de ma chambre, et l'air froid du matin me fait frissonner dans ma chemise de nuit.

—Tu es en retard, petite marmotte. Les vaches t'attendent!

J'ouvre un œil en grognant, éblouie par le soleil qui tombe sur mon visage. Pendant un instant, rien d'autre ne compte que mes draps chauds, auxquels je m'accroche de toutes mes forces. Et puis, les événements de la nuit me reviennent soudain en mémoire. Alors je saute à bas du lit.

—Tu as raison, ma chérie, dépêche-toi, fait ma mère avec un sourire.

Comment peut-elle encore m'appeler «ma chérie» et me vendre à Cingly comme une génisse? Je ravale ma colère et me déshabille, pour faire une toilette de chat avec le pot à eau qu'elle m'a apporté.

—Attention, tu m'éclabousses! fait-elle en riant.

Et, comme si j'avais encore l'âge de jouer à ça, elle trempe la main dans l'eau pour m'asperger de gouttelettes froides. Elle doit se rendre compte qu'elle est toute seule à rire, parce qu'elle finit par arrêter.

—Tu n'es pas très bavarde, ce matin. Tu nous en veux encore pour cette histoire de mariage, c'est ça, ma grande?

—Non, Maman. Je ne vous en veux pas: je vous hais.

J'enfile une blouse et je la plante là, bouche ouverte à gober les mouches, pour aller traire et brosser ces imbéciles de vaches. Cingly sera notre prochaine cible et on ne le ratera pas. Je ne sais pas encore comment on va s'y prendre, mais on va lui faire comprendre qu'il n'a pas tous les droits.

Tiens, la porte de l'étable est restée ouverte. Je m'avance pour la refermer quand j'entends soudain derrière moi:

—Aouh Aouh!

J'ai une telle frayeur que je renverse le seau à lait, heureusement vide. C'est Arnoux, caché dans l'ombre, qui éclate de rire devant ma réaction et passe la main dans mes cheveux complètement emmêlés.

—Tu viens de tomber du lit, toi!

—Ne fais pas le cri du loup ici, je chuchote, affolée.

—Aouh! Aouh!

—Ma mère est juste à côté, elle va t'entendre!

—Moi aussi, Lune, je suis ravi de te voir.

Je me radoucis un peu. Je n'ai jamais pu résister à son sourire charmeur, avec sa fossette sur le côté.

—Il faudrait peut-être qu'on évite de se voir pendant la journée, tu sais, pour ne pas éveiller les soupçons.

—J'ai vu le boulanger, me glisse-t-il à l'oreille, ignorant ma mise en garde.

—C'est vrai? Il a osé se montrer devant tout le monde? Le capitaine n'a pas vu les preuves de ses magouilles, dans son atelier?

Alors on aurait fait tout ça pour rien? Justice n'aurait pas été faite?

—Oh, pour ça, pas d'inquiétude. Il détalait sur la route au petit matin, pendant que le capitaine et le garde champêtre inspectaient son fournil. Tu aurais dû le voir déguerpir en pyjama comme un voleur, ha ha, c'était trop drôle!

Je serre les poings de rage.

—Bien fait pour lui! Quand je pense à la façon dont il traitait Raoul… Et comment ça s'est passé, chez le baron? Ils ne t'ont pas trop embêté cette nuit?

— Pas du tout, Dib a été parfait avec son histoire de clef. Je suis hors de cause.

— Merci de nous avoir tirés du pétrin, Raoul et moi. Encore un peu et Pablo nous voyait avec nos masques de loup. Et lui, ils l'ont relâché aussi, j'espère ?

— Pablo ? Oh, ils vont sûrement le laisser partir, répond Arnoux, évasif

— Il n'a rien fait de mal, le pauvre.

Arnoux hausse les épaules.

— Nous non plus. On a fait justice.

Et il ajoute :

— Notre prochain objectif, ce sera la scierie.

— On n'avait pas dit qu'on attaquait d'abord Cingly ?

— On l'aura aussi, mais plus tard. Moi, je n'en peux plus de la mère Loisel. Je ne digère pas qu'elle m'ait flanqué à la porte comme un malpropre.

— Je croyais qu'elle t'avait juste refusé de l'avancement ?

— En fait, elle m'a mis dehors, dit-il, et dans ses yeux passe un éclair de colère.

Soudain, une jolie frimousse pleine de taches de rousseur apparaît dans l'encadrement de la porte. Lapsa ! Qu'est-ce qu'elle a entendu de notre conversation ?

— Ah bon ? dit-elle. La mère Loisel t'a flanqué à la porte de sa scierie, Arnoux ? Qu'est-ce que tu lui as fait ?

—Moi? Euh, rien du tout.

Je me jette au cou de mon amie pour la serrer dans mes bras.

—Je suis contente de te voir! Dis-moi, ça... ça fait longtemps que tu es derrière la porte?

—Non, je viens d'arriver. Figure-toi qu'il s'est passé de drôles de choses, cette nuit. Le fournil du boulanger a été saccagé et on a découvert qu'il trafiquait son pain avec de la craie!

—Ah bon?

—Pas possible! fait Arnoux qui se retient de glousser.

Quel idiot! Il ne pourrait pas faire un effort pour être discret?

—Le garde champêtre et le capitaine ont arrêté Pablo le vagabond, mais moi, je crois qu'il est innocent.

On se regarde avec Arnoux, qui ne glousse plus. Est-ce qu'elle sait tout? Est-ce qu'elle va nous dénoncer?

—Ils ont vraiment arrêté Pablo? je lui demande. Qu'est-ce qu'ils vont lui faire?

—Ils ont envoyé un message à la ville pour que les gendarmes viennent le chercher et le mettent en prison. Mais pourquoi il aurait fait une chose pareille? Moi, je suis sûre que ce n'est pas lui, et je compte bien découvrir ce qui s'est passé!

—Ah oui, et qu'est-ce qui s'est passé d'après toi?
Qui est le coupable? fait Arnoux avec une lueur
amusée dans le regard. Tu veux qu'on t'aide à le
retrouver?

Lapsa se tourne avec lui avec un sourire poli.

—S'il te plaît, Arnoux, tu veux bien nous laisser,
Lune et moi? J'ai quelque chose de très personnel à
lui dire.

Arnoux la regarde, surpris. Visiblement un peu
vexé, il hausse les épaules et finit par tourner les
talons.

—Bah, de toute façon, il faut que je trouve un
autre travail, moi.

Dès qu'il est parti, Lapsa devient toute rouge
d'excitation et se met à parler très vite:

—Je crois que j'ai vu mon père dans la forêt, sous
l'arbre aux pendus. Et comme par hasard, le même
jour, la boulangerie est saccagée! Je me demande
si c'était lui. Il s'est sûrement passé quelque chose
de grave autrefois, pour qu'il soit obligé de s'enfuir
comme il l'a fait. Peut-être que le boulanger lui avait
fait du tort et qu'il règle de vieux comptes? Bien
sûr, ma grand-mère refuse de m'en parler, mais je
découvrirai la vérité avec ou sans elle.

Son père? L'image des vieux papiers trouvés dans
le coffre me revient aussitôt en mémoire, et cette
note signée «Éloi», le prénom de son père: «*Cette*

nuit, ils vont payer. Ça va être un vrai feu de joie, ils comprendront enfin… »

— Mais si ton père est revenu au village après quinze ans, pourquoi il irait en cachette à l'arbre-aux-pendus ?

— Je ne sais pas, peut-être qu'il y avait caché quelque chose autrefois ? Un autre objet qu'il voudrait m'offrir en cadeau ? Depuis qu'il m'a donné le carnet à dessins de ma mère, je m'attends à le voir apparaître à tout moment…

— Tu es sûre que c'est lui que tu as vu sous l'arbre ?

— Eh bien, je ne peux pas le reconnaître puisque je ne l'ai jamais vu. Et puis, c'était juste une silhouette dans la brume, mais…

— Écoute, s'il est revenu à Thiercelieux, il va forcément finir par se montrer. Ce qui m'inquiète, c'est qu'il doit avoir une bonne raison de ne pas l'avoir déjà fait. Il n'est même pas venu te voir ! Est-ce qu'il a quelque chose à se reprocher ? Est-ce qu'il a des ennemis dans le village ?

Est-ce qu'il y a un rapport avec nous, les loups ? Sous l'arbre aux pendus, il y avait le coffre avec nos masques, qu'est-ce qui l'a attiré justement là-bas ? Il y a forcément un lien.

— Je sais que c'est bizarre, répond Lapsa. Ce village a des secrets, tu sais, il y a des gens qui complotent et qui ne disent pas tout ce qu'ils savent. Mais tu as raison, mon père doit avoir une raison de se cacher et je la découvrirai. À mon avis, le saccage de la boulangerie n'est qu'un début, pour lui ; ça va continuer. C'est comme un puzzle : si je trouve toutes les pièces, je finirai par découvrir la vérité. Mais je n'y arriverai jamais toute seule, Lune, je vais avoir besoin de toi. Est-ce que tu vas m'aider à faire tomber les masques ?

Elle me regarde avec tellement d'espoir que je déglutis et que je fais tout mon possible pour lui sourire.

—Bien sûr que je vais t'aider à… à faire tomber les masques. On est amies, pas vrai ?

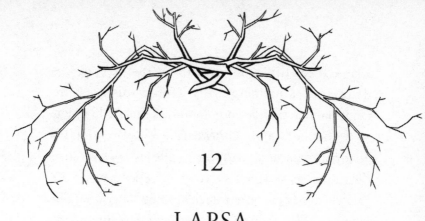

12

LAPSA

Quand Lune me dit qu'elle va m'aider, je ressens un sentiment étrange. Je suis perdue dans tout un tas d'émotions : j'ai la même sensation que lorsque je plongeais dans le foin, avec elle, dans l'étable où nous sommes. Nous grimpions à l'échelle pour sauter ensuite dans une énorme meule, ça piquait, ça faisait peur, c'était tellement excitant. Nous pouvions y rester des heures. Là, c'est la même chose : j'ai peur de ce que nous allons découvrir, je suis survoltée à l'idée de trouver ces réponses qui me manquent, mais quelque chose me dérange, comme si elle ne me disait pas tout. Est-ce qu'il s'est passé quelque chose entre elle et Arnoux ? Est-ce cela qu'elle me cache ?

Soudain, comme si elle se rappelait ma présence, elle secoue la tête et reprend son seau.

—Tu as dix minutes? Il faut que je traie ces deux grosses mémères sans quoi je vais me faire enguirlander, dit-elle en pointant les vaches du doigt.

Je hoche la tête, contrariée à l'idée d'attendre encore, mais aussi troublée; elle est amoureuse d'Arnoux, ça se voit à sa manière de le regarder. Et j'ai déjà remarqué qu'elle devient toute rouge quand il la touche. Elle ne m'en parle pas, par ma faute, parce que je lui ai dit un jour que je le trouvais égoïste et orgueilleux. Cela l'avait fâchée et, depuis, elle ne m'en a plus dit un mot. Je ne comprends pas ce qu'elle lui trouve. Il est beau garçon, c'est sûr, mais ça ne fait pas tout! Raoul est bien plus gentil. Sauf qu'Arnoux exerce une fascination sur les gens. Sur Lune bien sûr, et aussi sur Dib, qui le suit partout en l'admirant comme une idole. Son charisme me fait peur, à moi, j'ai l'impression qu'il pourrait leur faire faire n'importe quoi s'il le souhaitait.

—Lune, est-ce que tu veux bien m'accompagner chez moi? lui dis-je quand elle finit de traire Antoinette.

—Pourquoi on n'irait pas directement dans les bois chercher des indices sur la présence de ton père?

—J'ai déjà essayé, mais je n'ai rien découvert, autant chercher une aiguille dans une botte de foin. Et puis, Grand-Mère m'a interdit de sortir sans son autorisation…

—Là, tu es dehors pourtant!

—Justement, on doit se dépêcher! Si tu es avec moi, elle n'osera pas me gronder et si tu lui demandes gentiment de me laisser sortir, elle ne te le refusera pas, elle t'adore!

—Et tu en abuses... mais j'aime bien ça, rouler les vieux dans la farine.

Quand nous arrivons à l'apothicairerie, Grand-Mère est occupée avec des clients de la ville, mais ça ne l'empêche pas de me fusiller du regard, avant de s'adoucir devant le sourire de Lune. Elle l'adore vraiment, c'est trop facile.

—Les filles, ça tombe bien que vous soyez là: vous pouvez attraper la camomille qui sèche dans le grenier?

Nous montons en courant les escaliers, poussons la trappe et pénétrons dans ce lieu qui nous a toujours fait un peu peur. Je détache les fleurs séchées pendant que Lune furète.

—Lapsa? Regarde, on voit tout Thiercelieux d'ici, dit-elle en se penchant par la lucarne.

Je me glisse à côté d'elle. La brume s'est levée et le soleil brille sur la plaine.

—Oui, tu as raison: on voit même la colline des pendus, là-bas.

Elle se raidit à côté de moi. Je lui demande, étonnée de sa réaction:

—Ça te fait peur?

— Un peu, oui, avoue-t-elle avec gêne. Tu crois qu'il y a des fantômes, là-bas ?

— En tout cas, c'est là que j'ai vu la silhouette ce matin, sous l'arbre. Mais, Lune, t'es pas du genre trouillarde ! Qu'est-ce qui se passe ?

— Regarde, dit-elle sans répondre à ma question. La vieille folle est sur le chemin pour venir au village. Si elle t'a parlé de ton père, c'est peut-être qu'elle l'a vu dernièrement ?

— Tu as raison, on pourrait fouiller chez elle en douce tant qu'elle est dans le bourg !

Lune hoche la tête. Nous dévalons les marches pour donner la camomille à Grand-Mère, et Lune propose innocemment que je vienne avec elle au champ.

— Oui, répond-elle avec un froncement de sourcils. Vous en profiterez pour vérifier que les crocus ont éclos : si c'est le cas, vous savez ramasser les pistils, non ?

— Je prends une petite boîte, dis-je pour la rassurer.

Nous ne demandons pas notre reste et nous filons par la porte du jardin pour éviter de croiser la vieille folle dans la rue, devant la boutique.

— Lapsa ! Lune ! Attendez-moi !

Flûte, c'est Raoul qui nous a repérées. Il va nous ralentir ; j'ai l'impression que tout le monde se ligue contre moi pour m'empêcher de découvrir la vérité.

— Comment on s'en débarrasse ?

—T'es pas très sympa! me dit Lune. On peut bien discuter deux minutes avec lui, non?

—Oui, dis-je en me mordant les lèvres. Je suis tellement pressée, ça me rend bête.

Il s'approche de nous, tout sourire. Forcément, il en pince pour Lune.

—Ça va? lui demande-t-il. Tu…

—Oui, répond Lune précipitamment. On va dans le bois, chez la vieille folle. Tu viens?

Mais pourquoi elle fait ça?

—D'accord, je n'ai rien à faire aujourd'hui, le capitaine attend les gendarmes pour visiter l'atelier du boulanger.

—Tu n'as plus de travail alors, constaté-je, inquiète pour lui malgré tout.

—Si on m'y autorise, je reprendrai la boulangerie, le temps qu'on trouve une autre solution: je suis le seul à savoir faire du pain.

—C'est plutôt une bonne nouvelle pour toi!

—Oui… Je… je ne sais pas qui a fait ça, bafouille-t-il avant d'ajouter d'une voix plus forte: Mais je vais pouvoir vous faire du bon pain!

—Justement, on enquête avec Lapsa, dit Lune.

—Qu… quoi?

Raoul a l'air paniqué, regardant Lune, puis moi, puis de nouveau mon amie, comme si on avait proféré une bêtise monumentale.

—Mais… mais ils ont arrêté Pablo, le vagabond, poursuit-il en bégayant un peu. Pour…pourquoi ne pas les laisser faire ?

—Je suis sûre qu'il n'y est pour rien, dis-je, les villageois s'en prennent toujours aux étrangers, ce sont des boucs émissaires, mais je crois que celui ou ceux qui ont fait ça savaient parfaitement ce que trafiquait le boulanger avec sa farine. Et puis… Raoul, tu sais garder un secret ?

—Oui, je crois.

Je le considère un instant, avant de décider que je peux lui faire confiance. Il est étrangement agité ce matin, mais je le connais, c'est un garçon plus solide qu'il n'y paraît.

—Je viens d'apprendre que mon père n'était pas mort dans un accident. Il a quitté le village avant ma naissance.

—Tu penses qu'il est toujours vivant ? comprend Raoul, stupéfait.

—En fait, je crois même qu'il est revenu au village. Je pense que c'est lui qui a fait le coup à la boulangerie, et je suis sûre que la vieille folle sait des choses à son sujet.

—Bon, on y va ? s'impatiente Lune. Il ne faudrait pas qu'elle nous surprenne dans sa cabane !

Quand nous arrivons dans le bois, la fraîcheur me fait frissonner. L'automne s'installe pour de bon. Raoul nous guide jusqu'à la cabane de la vieille. Je n'aurais jamais pu la trouver seule, elle est un peu en hauteur, sur une sorte de promontoire rocheux, cachée par des bosquets de bouleaux aux troncs serrés. C'est une grosse hutte en bois, en mauvais état : il manque des tuiles sur le toit et la porte grince affreusement sur ses gonds. L'intérieur est cependant bien rangé, quoiqu'il y ait un fatras de jouets cassés dans un coin. Mais ce qui nous frappe immédiatement, ce sont les dessins. Il y en a des dizaines accrochés partout sur les murs. Cela recouvre toutes les parois, il y en a même au plafond. Ce sont des pages de journaux, sur lesquels la vieille a peint en couleur. Et, sur toutes les feuilles, il y a des mains. Deux mains avec les doigts en éventail au beau milieu. Entre les doigts, on voit des scènes à demi cachées, comme si la vieille avait représenté ce qu'elle voyait en se cachant presque les yeux.

—Elle est complètement folle ! s'exclame Lune.

—C'est délirant, ajoute Raoul.

Je m'approche d'un des murs pour les observer de plus près. Je n'en reviens pas ; entre les doigts, la vieille a dessiné des éléments qui se répètent de dessin en dessin. Sauf qu'on ne voit pas toujours exactement la même chose. Sur l'une des feuilles, il y a des visages à moitié cachés, un œil injecté de sang, une bouche au rictus inquiétant. Sur une autre, on voit une main poilue qui tient un couteau. Sur un troisième dessin, je distingue une tête de loup, mais j'ai l'impression que c'est un masque que porterait un homme ou une femme.

— Regardez ! Il y a des couteaux, du sang et… des loups ! Lune, viens voir ! On dirait qu'elle a représenté des gens masqués !

Je me retourne, car elle ne me répond pas. Et là, je les vois tous les deux, tétanisés, dans le coin des jouets cassés, au milieu d'un tas d'ours pelés, de cerceaux brisés et de poupées dépenaillées.

— Quoi ?

— Ben, ça fait peur quand même…, dit Raoul, le teint vert. Tu veux pas qu'on parte ?

— Non ! Cherchez des images d'incendie au lieu de rester plantés là !

— Pour… pourquoi ? fait Raoul.

— Dans la boulangerie saccagée, j'ai trouvé un petit tas de bois qui aurait pu servir à un départ de feu. Comme si la personne qui a fait le coup avait eu l'intention de brûler tout le fournil, et qu'elle avait été interrompue.

Ils me regardent, tremblants, puis détournent les yeux pour chercher ce que je leur demande. Soudain, Lune crie :

—Là. C'est toi!

Je m'approche et je me vois, derrière les mains sur le dessin. On ne distingue qu'un bout de mon visage. Mais pas de doute: un œil vert, des mèches de cheveux de feu, les taches de rousseur, ce ne peut être que moi. J'ai l'air terrifiée. Dans l'autre coin du dessin, on voit une maison en flammes. Et un homme masqué.

—Qu'est-ce que c'est? Je n'ai jamais vécu ça!

Je dois avoir l'air paniquée, parce que Lune me passe un bras sur les épaules avec tendresse.

—Elle est folle, va savoir ce qu'elle a imaginé!

—Oui, renchérit Raoul, elle a l'esprit complètement tordu.

—Ne t'en fais pas, ma Lapsa. On va sortir d'ici et oublier tout ça, d'accord?

—Et puis, des loups, il n'y en a plus par ici! ajoute Raoul dont le ton sonne faux, comme s'il cherchait à me rassurer à tout prix.

—Si. J'en ai entendu un l'autre nuit.

—Quoi? Si près du village? Tu as dû rêver.

Je continue à fixer le dessin qui me représente pour essayer de comprendre. Un détail me frappe.

—Ce n'est pas moi.

—Enfin, Lapsa, il n'y a pas deux rousses comme toi au village, s'exclame Raoul.

—Non, mais il y a quinze ans je n'étais pas née. Regardez: tous les dessins sont faits sur d'anciens journaux... et celui-ci date de cette époque-là !

— Elle a peut-être utilisé un vieux papier ?

— Les couleurs sont délavées par le soleil, le papier s'effrite sur les bords. Les peintures récentes sont encore brillantes, dis-je en désignant une série de feuilles sur la paroi de droite. Je crois que ce dessin est là depuis très très longtemps.

— Mais alors, dit Lune, ce serait...

— Ma mère !

Je suis subjuguée. Les deux autres s'approchent, scrutent le dessin avec moi. Je pourrais rester des heures à la contempler. Mais on n'a pas le temps, alors je me mets à chercher d'autres feuilles de la même époque aussi vite que je peux. Je ne trouve rien... à moins que...

— Là ! Il y en a un autre, m'écrié-je en montrant une feuille au plafond.

On ne voit de ma mère que des mèches, mais un autre visage la regarde derrière les doigts de la vieille. Un beau garçon, costaud, du même âge qu'elle. Je suis sûre, immédiatement, que c'est mon père. J'attrape une chaise, je grimpe dessus pour le voir de plus près.

— Lapsa. Il faut qu'on sorte de là, me presse Lune. J'entends du bruit dehors !

J'arrache l'esquisse, saute au bas de la chaise, qui tombe derrière moi avec fracas. Puis je me précipite vers le portrait de ma mère et je l'arrache aussi du mur.

—Tu es dingue! s'écrie Raoul. Elle va savoir qu'on est venus, remets-le à sa place!

—Non, je m'en fiche! Je n'ai aucune image de mes parents, tu imagines ce que ça fait? Ce sont mes oignons, pas les tiens!

Et c'est vrai, la gentille Lapsa qui obéissait à tout me semble bien loin soudain. J'en ai marre qu'on me dise toujours ce que je dois faire.

—Allez, on s'en va, quelqu'un approche! s'énerve Lune.

On sort tous les trois en courant. Il n'y a personne.

—Tu es sûre que tu as entendu du bruit? demande Raoul.

—Oui, venez, dit-elle en nous entraînant dans le sous-bois.

Nous nous cachons dans les buissons, juste à temps. La vieille arrive en chantonnant. Elle s'arrête net en voyant sa porte grande ouverte. Elle se rue à l'intérieur, et nous entendons un cri de colère.

—Qui a volé mes dessins? hurle-t-elle. Qui a pris mon Éloi?

Mon sang ne fait qu'un tour. Je le savais. Sur le dessin, c'est mon père!

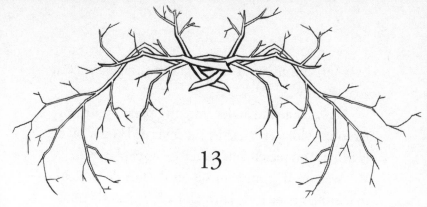

13

LUNE

CETTE NUIT, LA LUNE EST ENCORE EMBRUMÉE DE nuages. Le village dort. Et quand on s'approche de la réserve de bois de la scierie, la rumeur de la rivière estompe le bruit de nos pieds nus sur la terre. Dans la journée, les troncs arrivent par bateau des forêts de chêne et les ouvriers les alignent en longues piles triangulaires sur la réserve. Ça sent la mousse et l'écorce humide.

— Ben dis donc, murmure Raoul dans son masque de loup, qu'est-ce qu'il y a comme troncs !

— Ça s'appelle des grumes, fait Arnoux.

Impressionnée par les énormes piles, je reste prudemment près de lui, comme si ces géants de bois allaient nous écraser.

— Dire qu'il n'y avait rien ici, il y a dix ans. Juste une petite plage de galets où on venait se baigner, ma mère et moi, quand mon père était aux champs.

—Ça pourrait redevenir une plage, murmure Arnoux. Moi, cette scierie, j'ai envie de la raser ou de la brûler complètement, qu'il n'en reste plus rien…

Avec un frisson, je revois les dessins de la vieille folle sur les papiers de journal. La ferme en flammes, le visage du père de Lapsa et l'émotion qui a saisi mon amie quand elle les a découverts.

—On a dit qu'on ne brûlerait rien du tout! je réponds sèchement.

Chez le boulanger aussi, il voulait tout brûler. Je ne sais pas pourquoi il a toujours cette idée en tête.

—Oui, oui, je sais, répond-il. Mais j'ai commencé à douze ans comme commis, ici, moi. Se faire mettre à la porte, sans un sou, après des années à se casser le dos et les mains sur le bois… Elle va me le payer, la mère Loisel!

Amarrée à un ponton, une barge encore remplie de grumes attend d'être déchargée demain. La scierie est juste derrière: de longs bâtiments aux toits à faible pente, dont les deux roues à aubes tournent en continu. Le courant est fort à cet endroit.

—Tu as les clefs? je demande à Arnoux.

—Il n'y a pas de serrure. La mère Loisel dit que ça coûte trop cher pour ce qu'il y a à voler. Elle crèverait plutôt que de cracher un sou, cette sale radine.

—Ah bon ? fait Raoul, surpris. Je ne la voyais pas comme ça.

La porte à double battant s'ouvre, poussée par Arnoux, et nous entrons dans une grande salle plongée dans la pénombre. Elle est remplie jusqu'au plafond de roues dentelées gigantesques et d'engrenages dont la plupart sont à l'arrêt. Seuls grincent les énormes moyeux entraînés par les roues à aubes, qui tournent à vide. L'odeur d'huile et de sciure est si forte ici que je tousse plusieurs fois avant de m'y habituer.

—Respirer cette saleté de sciure, ça ne me manquera pas, marmonne Arnoux en me tapotant le dos. Ni l'infernal boucan des scies quand elles mangent le bois.

C'est la première fois que j'entre ici. Je reste un moment fascinée par la complexité des machines, par leur agencement habile et toute l'intelligence qu'il a fallu pour les concevoir. En faisant construire cette scierie à la mort de son mari, la mère Loisel a été une vraie visionnaire. Tout le monde lui prédisait la faillite avec la concurrence de celle de Chézy, plus au nord. Mais elle a tout investi dans les nouvelles scies « sans fin », les scies circulaires. On s'était beaucoup moqué d'elle, mais elle avait eu raison : sa scierie a eu un bien meilleur rendement, et c'est celle de Chézy qui a dû fermer. La mère Loisel vend maintenant ses planches à trente lieues à la ronde.

—Bon, où est le bureau ? je demande à Arnoux

—Là-bas, la porte du fond. Mais c'est fermé à clef.

—Je croyais qu'il n'y avait pas de serrure, que c'était trop cher ?

—Ah, mais quand il s'agit de protéger ses petits secrets, la patronne ne tient pas le même discours…

Il ricane un peu.

—C'est bizarre, murmure Raoul, il n'y a presque aucune lumière ici, mais j'ai l'impression d'y voir de mieux en mieux. Ça te fait ça, à toi aussi, Lune ?

—C'est parce que nos yeux s'habituent à l'obscurité, je pense.

Il a pourtant raison, on y voit étrangement net en pleine nuit, comme à la boulangerie. Heureusement d'ailleurs, parce que le sol est jonché de débris de bois et d'outils posés n'importe comment. Par endroits, il est tellement couvert de sciure qu'on a l'impression de marcher dans de la neige.

—C'est le matin qu'on nettoie les ateliers, alors le soir, il reste toute la sciure de la journée, murmure Arnoux. Évite de marcher par ici ; derrière les caissons, les dévoreuses font de la sciure par tonnes.

—Les « dévoreuses » ?

— C'est comme ça qu'on appelle les scies circulaires, parce qu'elles mangent énormément de bois – et de bras aussi, pour les imprudents.

Il n'y a pourtant jamais eu d'accident à la scierie, la mère Loisel est intraitable sur la sécurité à ce qu'il paraît. À tel point qu'Arnoux s'en agaçait souvent, d'ailleurs.

—Hé! J'ai trouvé une hache et un pied-de-biche pour enfoncer la porte! fait Raoul, fier de lui, en brandissant ses outils à bout de bras malgré ses gants de loup.

—La belle affaire! Il y en a partout, des haches, on s'en sert pour arracher les écorces, répond Arnoux. Donne-moi ça!

Il se déplace dans le noir avec des gestes parfaitement sûrs, déambulant avec grâce entre les piles de planches, les échelles et les outils posés contre les murs, à l'aise dans les lieux comme un poisson dans l'eau. Raoul et moi, on le suit avec précaution jusqu'à atteindre la fameuse porte du bureau.

—C'est du cœur de chêne, le bois le plus dur qu'on puisse trouver ici. Les planches de cette porte ont été fabriquées dans cet atelier.

Arnoux, habile avec la hache, donne de grands coups en poussant des «han!», mais le fer arrive à peine à égratigner le bois. Il s'acharne, frappant de plus en plus fort, sa chemise de tissu grossier se colle à sa peau à cause de la sueur.

—Vingt… Vingt dieux, ces fichus de gants en peau de loup, ça glisse…

—Tu permets? demande Raoul en lui prenant la hache des mains.

Arnoux voudrait bien répliquer par une pique ou continuer à cogner, mais il est tellement hors d'haleine qu'il lui laisse la place.

Raoul inspecte les gonds de la porte, rouillés par plusieurs années passées dans l'atmosphère humide de la scierie. En quelques coups bien ajustés, il les fait sauter et, avec le pied-de-biche, fait basculer la porte en avant. Bien joué, Raoul : la mère Loisel avait peut-être choisi le meilleur bois, mais les gonds, ce n'était pas son domaine.

—Heureusement que la rivière a couvert le bruit que tu as fait, grommelle Arnoux, mauvais perdant, en entrant dans le bureau de la mère Loisel. Reste en arrière et préviens-nous si quelqu'un vient.

C'est une pièce rectangulaire, très simple, fonctionnelle. Je m'attendais à des meubles en bois précieux et des cadres dorés aux murs, mais apparemment, ce n'est pas le genre de la patronne. La seule décoration, c'est cette interminable scie à bras accrochée au mur, sans doute celle de son mari quand il était bûcheron.

—Tu es déjà entré ici?

—Une fois, me répond Arnoux d'une voix basse. Avant-hier, le jour où elle m'a mis à la porte.

—Mais tu sais où est l'argent, au moins?

D'après lui, elle a dû amasser une fortune colossale, après des années passées à affamer ses ouvriers et à mégoter sur la moindre dépense.

—Je suis sûr qu'il est ici. C'est dans cette pièce qu'elle prépare les salaires avant de les remettre aux gars en mains propres, et c'est aussi ici qu'elle reçoit les bateliers pour les payer.

C'est ça, notre plan. Frapper la mère Loisel là où ça lui fait le plus mal : au portefeuille. D'abord, se servir une « prime décente » pour Arnoux qui a été mis à la porte sans raison et sans un sou de compensation. Ensuite, récupérer un pécule pour notre départ à la ville – après tout, le village nous doit bien ça, et nous, on en aura besoin. Enfin, distribuer à chaque ouvrier une partie de cet argent, car Arnoux dit que les salaires sont misérables. Il suffira de glisser des pièces sous leurs portes.

Un bruit dans la salle des engrenages me fait tourner la tête.

—Tu as entendu?

—C'est sûrement Raoul qui se cogne encore dans les machines, répond distraitement Arnoux tout en sondant les murs à la recherche d'un coffre.

Raoul, justement, revient, sa hache à la main. Apparemment, il adore cet endroit.

—C'est de la belle mécanique! Vous avez vu la taille des scies circulaires? Et comme les dents sont tranchantes? J'aimerais bien les voir tourner à plein régime!

—Tu t'es cogné dans les machines?

Il tourne la tête vers moi, surpris.

—Moi? Non.

—Ouais ben... aide-nous plutôt à trouver où la mère Loisel planque son or.

Raoul, obéissant, ouvre les armoires et commence à fouiller à son tour.

—C'est rigolo, cette grosse boule de verre dans cette boîte en bois, ça lui sert à quoi, à votre avis?

Arnoux se fige aussitôt.

—Une boule de verre? Où ça?

—Elle était cachée dans une ancienne caisse de vin, mais la mère Loisel a ôté toutes les bouteilles et mis ça à la place.

Arnoux se précipite sur l'armoire et je lui pose la main sur le poignet.

—Tu crois que l'argent pourrait être là-dedans?

—Chaque fois qu'un ouvrier essaye de l'embobiner, la mère Loisel répond «Tu crois que j'ai déjà perdu la boule?» et elle éclate de rire. On l'appelle aussi «mère la boule» entre nous. Peut-être qu'elle parlait de cette boule-là?

J'inspecte avec attention la surface de l'objet.

—Ce n'est pas du verre en tout cas, c'est du bois tellement poli et verni qu'on s'y trompe, dans l'obscurité.

—C'est du merisier.

—Et il y a des lettres gravées ici, des majuscules
–ni Raoul ni Arnoux ne savent lire–, « R. L. », ce
sont les initiales de son mari, Renaud Loisel. Je suis
sûre que cette boule doit être importante pour elle.
C'est bizarre qu'elle la cache dans une caisse plutôt
que de la poser fièrement sur son bureau.

Arnoux la retourne et la tapote du doigt ; elle rend
un son creux. Alors, il se met à caresser le grain du
bois de la paume de sa main de loup.

—Ici, il y a une petite imperfection, murmure-t-il.

Il appuie de la pointe de la griffe juste sous
les initiales. La boule s'ouvre aussitôt en deux
parties égales, et une bourse de cuir tombe à nos
pieds.

—L'or ! je m'écrie, tout excitée. C'est l'or de la
vieille !

Je ramasse la bourse et la vide par terre : quelques
dizaines de pièces en argent roulent sur le plancher.
Je me tourne vers Arnoux.

—C'est tout ? Je croyais qu'elle avait une fortune ?

—Il y a trente ou quarante francs, c'est déjà pas
mal, fait Raoul, qui n'a sans doute jamais vu autant
d'argent de sa vie.

Arnoux est blanc comme un linge.

—Il y en a sûrement d'autres, cachés quelque
part. Un coffre, une cache… Peut-être chez elle…

—Tu sais, répond Raoul, qui ramasse les pièces et lui en tend une petite poignée, moi, ça m'étonnait que la mère Loisel ait vraiment amassé une fortune. Elle ne vit pas comme une bourgeoise et ses ouvriers ne se sont jamais plaints de leurs salaires. Il paraît qu'à Chézy, ils étaient payés moins.

J'ouvre de grands yeux.

—C'est vrai, ça?

—Croyez ce que vous voulez! hurle Arnoux en jetant l'argent par terre. Moi je ne vais pas me contenter de trois piécettes! Il y a un trésor ici et je vais le trouver!

Ses yeux noirs brillent de colère à travers les fentes de son masque. Dans l'obscurité, sa fausse mâchoire avec ses crocs découverts semble s'animer comme celle d'un vrai fauve. Il ramasse la hache, donne un coup de pied rageur dans les deux moitiés de la boule de bois et sort de la pièce.

Avec Raoul, on se regarde un moment sans savoir quoi faire. Et puis je désigne l'argent de la mère Loisel étalé devant nous.

—Même si Arnoux n'en veut pas, on peut toujours redistribuer ça aux ouvriers de la scierie.

Mais ce n'est pas facile de ramasser des pièces avec des gants et des griffes de loup. Les quarts de francs et les demi-francs en argent roulent et glissent entre nos doigts comme s'ils ne voulaient pas se laisser attraper.

Raoul pousse soudain un petit cri de douleur.

—Ça va?

—C'est rien… J'ai eu une sensation bizarre en touchant ces pièces, comme une petite brûlure.

—Une brûlure à travers les gants? Je ne vois pas comment… Aïe!

Moi aussi je la ressens. Une douleur qui me fait lâcher d'un seul coup la poignée de pièces que je tenais dans la main, et qui s'en vont rouler sous l'armoire. Je tâtonne sous le meuble pour essayer de les récupérer, quand tout à coup, quelqu'un pousse un hurlement dans la salle des scies circulaires.

—C'… C'était quoi, ça? fait Raoul, terrifié.

—C'était la voix de la mère Loisel!

Et je me précipite dans la grande salle.

Le Loup-Garou,
de Victor Hugo

Enfin, vient ma nuit préférée !
La nuit de la pleine lune...
nuit où on rencontre aussi des fées,
aimant la lumière blanche de cet astre nocturne.

Je sens mes sens s'alerter,
mon côté animal se développer...
s'agit-il d'une malédiction ?
Je n'en ai pas la conviction.

Mon corps va se transformer,
mes vêtements se déchirer,
je vais devenir plus grand, plus puissant...
et je vais ressentir ce besoin de sang,
avant de me mettre à hurler.

Je vais fuir les lumières de la ville,
et courir vers la forêt,
où il me sera plus facile,
de me cacher, de ne pas me faire repérer.

Et puis, je vais me mettre à chasser,
et vous ne pourrez pas m'échapper.
Où que vous soyez, n'importe où...
je vais vous retrouver, car je suis un Loup-Garou...

14

LUNE

Je manque de m'étaler par terre en butant contre la porte arrachée, laissée au sol, et fouille des yeux la grande salle des machines. Un corps est étendu dans la sciure. Une auréole sombre va en s'élargissant autour de sa poitrine.

—Oh, Bon Dieu, c'est bien la mère Loisel !

—Madame, vous m'entendez ? fait Raoul en s'agenouillant auprès d'elle. Répondez-moi !

Elle a le visage livide, couchée sur le dos, les yeux révulsés, et elle tressaute de manière incontrôlée. Arnoux apparaît derrière nous, couvert de sang.

—Je l'ai trouvée là, je… je ne sais pas du tout qui lui a fait ça.

—Il faut l'aider ! crie Raoul, qui ôte son masque et ses gants de loup. Il n'y a pas de plaie visible sur la poitrine. Je crois qu'elle est blessée dans le dos. Lune, tourne-la sur le côté, je vais lui faire un bandage.

J'ai la tête qui tourne.

—Oui, d'accord. Un bandage.

Le temps que je me demande où trouver ça dans la salle, Raoul s'est déjà agenouillé sur la mère Loisel, et il a ôté sa propre chemise pour en faire un pansement improvisé.

—Maintenant, soulève-la délicatement.

Les yeux fermés pour en voir le moins possible, je passe les bras sous les épaules de la mère Loisel et je la fais basculer sur le ventre. Le sang chaud inonde mes poignets, mes gants de loup… Mais je le fais, les dents serrées, le visage crispé. Et quand je rouvre les yeux, je vois une large plaie dans le dos. Raoul appuie dessus avec sa chemise roulée en boule, des deux mains, et le saignement perd de sa force.

—C'est bon, murmure-t-il, tu peux la lâcher.

—Qu'est-ce qui vous prend, à tous les deux? crie soudain Arnoux. Vous êtes en train de faire quoi, là?

Complètement paniquée, je me relève, me tourne et me retourne sur moi-même, me posant mille questions à la fois. Il y avait vraiment quelqu'un d'autre ici, avec nous, dans la scierie? Comment est-ce possible qu'aucun de nous trois ne l'ait vu? Et ce mystérieux tueur, pourquoi détestait-il la mère Loisel au point de la poignarder? J'essaye de voir si quelqu'un se cache encore dans l'ombre, mais j'ai trop peur de m'éloigner des autres pour chercher dans les recoins sombres. Est-ce qu'il est toujours ici, attendant de nous attaquer à notre tour ? Et puis, une pensée me frappe soudain : et si c'était nous qu'on accusait ? Et si c'était nous qu'on mettait en prison ?

— Qu'est-ce qu'on doit faire, Bon Dieu ? Qu'est-ce qu'on doit faire ?

— C'est évident, non ? me répond Arnoux. On doit la laisser là et se tirer vite fait !

— Mais elle va mourir !

— Possible. Et ça ferait bien nos affaires à tous les trois, je vous signale. Elle nous a sûrement vus et si elle s'en sort, elle va nous dénoncer.

Je suis complètement perdue.

— Tu crois, Arnoux ? Tu crois vraiment que c'est ce qu'on doit faire ?

— Évidemment. Suivez-moi, vous deux. Plus on reste dans les parages, plus on risque de se faire pincer.

Il me prend déjà par la main et m'entraîne vers la sortie ; je me laisse emmener sans réagir, sans force, sans volonté.

— On doit aller chercher la grand-mère de Lapsa, dit Raoul à son tour d'une voix ferme. Avec ses herbes d'apothicaire, elle pourra peut-être sauver madame Loisel.

— Tu es complètement inconscient ou quoi ? répond Arnoux en me lâchant la main et en revenant sur ses pas. Et tu vas lui expliquer quoi, à l'apothicaire ? Que tu étais à la scierie, en train de forcer le bureau de la mère Loisel pour lui voler son argent, et que tu l'as retrouvée sur le sol en train d'agoniser ?

Raoul hausse les épaules.

— Ben, c'est la vérité, non ?

— Elle va penser que c'est l'un d'entre nous qui l'a blessée ! On risque la prison ou pire, la guillotine. Tu vas tous nous mettre en danger, espèce d'égoïste !

Raoul pose son regard sur moi. Je n'ai jamais vu sur son visage un air aussi calme et aussi résolu. Pour la première fois de sa vie, peut-être, il n'a pas la moindre peur et pas le moindre doute sur ce qu'il faut faire.

— Lune, c'est à toi d'y aller, tu vas courir aussi vite que tu peux. Moi, je ne peux pas bouger de là : si j'arrête de comprimer la plaie, elle meurt.

— Tant mieux si elle meurt, nom de Dieu ! Aide-moi, Lune, il faut emmener cet imbécile loin d'ici, pour son propre bien.

Il ramasse un manche à balai et s'approche de Raoul, complètement impuissant avec ses deux mains prises. Mais sur son chemin, il nous trouve, moi et mes griffes de louve prêtes à frapper.

—Va-t'en, Arnoux, si c'est ce que tu veux. On ne dira pas que tu étais là. Mais si tu empêches Raoul de la sauver, je jure devant Dieu que j'irai frapper à chaque porte du village et que je raconterai cette histoire à tout le monde.

—Quoi, tu défends Raoul? Bon Dieu, Lune, je te croyais plus maligne que ça. Hé, réveille-toi. C'est moi, Arnoux, ton ami!

Mais sa belle voix glisse sur moi comme de l'eau. Non, je ne ferai plus tout ce que me demande Arnoux. Tant pis pour ses beaux yeux, pour son corps musclé, tant pis pour son sourire charmeur et ses longues mains. Me réveiller? C'est exactement ce que je suis en train de faire. Arnoux est laid en dedans, et c'est la première fois que je le vois vraiment.

—Merci, Raoul!

—De quoi?

Je ne lui réponds pas. Je suis déjà en train de courir à travers la scierie, de franchir les grandes portes et de remonter la pente à toute vitesse jusqu'au village.

Merci, Raoul, de m'avoir ouvert les yeux en me montrant ce que je devais faire.

C'était tellement évident! On ne peut pas laisser mourir la mère Loisel. Tant pis si on se fait prendre, tant pis si on finit notre vie dans une prison de la ville ou la tête coupée par la guillotine. On est des loups, on corrige les injustices, on répare les erreurs du village, alors comment on pourrait laisser une femme mourir sous nos yeux sans réagir?

Je n'ai jamais couru aussi vite de ma vie. Sous mes pieds nus, la terre est si légère que j'ai l'impression de marcher sur du vent. Quand j'arrive devant la porte de la grand-mère de Lapsa, je ne prends même pas la peine d'ôter mon masque et mes gants. Je me retrouve dans la chambre de la vieille à la secouer dans son lit.

—Grand-Mère! Grand-Mère!

Quand j'étais petite, Lapsa l'appelait «Grand-Mère» et moi je faisais pareil, par imitation.

—Quoi? Qu'est-ce qui se passe?

Elle ouvre de grands yeux stupéfaits. Je m'imagine un instant à sa place, réveillée en pleine nuit par une fille-louve couverte de sang, dans sa propre chambre.

—C'est la mère Loisel! À la scierie! Venez vite, elle va mourir!

Les deux femmes ont toujours été amies. Tout le monde au village les appelle «les deux sœurs», même si elles ne l'ont jamais été. La nouvelle achève de la réveiller. Elle reprend aussitôt ses esprits et, rapide comme l'éclair, tire sur mon masque de louve.

—Lune, évidemment.

Je remets aussitôt mon masque en place, par réflexe.

—La mère Loisel est blessée, elle a perdu beaucoup de sang, dépêchez-vous!

Avec une énergie étonnante pour son âge, la vieille bondit hors de son lit et ouvre une armoire. En un clin d'œil, elle fourre dans les poches de sa robe de chambre un rouleau de bandage, du fil et une aiguille ainsi que diverses potions, tout en me bombardant de questions.

—Que s'est-il passé? Comment a-t-elle été blessée? À quoi ressemble la blessure?

—Une grande plaie dans le dos faite par un objet tranchant, comme un couteau ou une hache. Je ne sais pas qui a fait ça, on l'a juste trouvée par terre.

—«On»? Qui ça, «on»? Tu n'étais pas toute seule?

—Il y avait Raoul et Ar... Juste Raoul.

—Et qu'est-ce que vous fichiez à la scierie?

—On ne savait pas que la mère Loisel était là! Je vous jure que ce n'est pas nous qui l'avons blessée!

La vieille s'engouffre par la porte en jetant un «Suis-moi!» autoritaire et on se retrouve toutes les deux à courir vers la rivière. C'est un spectacle étonnant que de voir cette petite femme aux cheveux gris, en pleine nuit, ses fioles bringuebalant dans les poches de sa robe de chambre, en train de courir comme une dératée pour sauver son amie. Une autre fois, j'aurais peut-être éclaté de rire. Mais là, je trouve juste cette femme admirable de sang-froid. Est-ce que je ferais la même chose pour Lapsa, si ça lui arrivait? Je crois que oui; pour elle, j'affronterais tous les dangers s'il le fallait.

Dans l'atelier, Raoul, torse nu et visage découvert, appuie toujours des deux mains sur son pansement improvisé. Apparemment, ma menace de le dénoncer a suffi à tenir Arnoux éloigné. Mais la mère Loisel ne bouge plus du tout.

La vieille apothicaire reste sur le seuil, avec sur le visage un air soudain désorienté. Je la prends par la main.

— Venez vite!

— Où est Hermeline? crie-t-elle, excédée. On ne voit rien du tout, là-dedans, il fait trop noir!

Je fronce les sourcils. C'est bizarre, moi, j'y vois presque comme en plein jour.

— Attendez!

Je file dans le bureau de la mère Loisel: il y avait un briquet et des bougies dans un tiroir de son secrétaire. Je ne mets pas longtemps à en allumer une, que j'enfonce sur un bougeoir, et je reviens en protégeant la flamme de mon bras. Quelle lumière, ça me brûle les yeux! L'apothicaire me la prend des mains et se précipite vers son amie en marmonnant:

— Oh, mon Dieu, oh, mon Dieu…

Puis elle pose le bougeoir au sol et fait signe à Raoul de lâcher prise. D'un geste précis, elle soulève la chemise une fraction de seconde pour inspecter la plaie. Le sang se remet aussitôt à couler, et elle remet le pansement en place.

—Ta chemise et tes réflexes l'ont peut-être sauvée, murmure-t-elle à Raoul tout en fouillant de sa main la poche de sa robe de chambre, dont elle sort un flacon rempli d'un liquide ambré.

—Elle va s'en sortir, madame ?

La vieille se tourne vers nous, le regard brûlant.

—Je ne veux pas savoir ce que vous fabriquiez ici cette nuit. Je suis passée ici par hasard : je ne vous ai pas vus, je ne vous ai pas entendus, je ne sais même pas qui vous êtes.

Raoul et moi, on se regarde un instant, stupéfaits de s'en tirer à si bon compte. Pas de dénonciation, pas de prison ?

—M... merci, madame, murmure Raoul.

—Vous mériteriez que je vous dénonce au capitaine ! Vous vous êtes attaqués à la scierie, alors qu'Hermeline est la meilleure patronne de la région pour ses ouvriers !

—Vous savez, je lui réponds, ce n'est pas nous qui l'avons...

—Je sais. Aucun de vous deux ne lui a fait ça. Maintenant, filez, je n'ai pas besoin de deux empotés dans les pattes pour ce que j'ai à faire. Allez, disparaissez! Rentrez chez vous, je ne veux plus vous voir ici!

Après un moment d'hésitation, Raoul et moi, on se précipite vers la porte.

— Et soyez sur vos gardes, lance-t-elle dans notre dos. Hermeline avait prédit qu'elle serait attaquée. Le mal n'a pas fini de frapper, et il plane sur vous aussi.

15

LAPSA

Ce matin, c'est le scandale au village ! Tout le monde crie, court de maison en maison pour répandre la nouvelle, commente les événements, fait des suppositions. Observant le spectacle par ma fenêtre, je les vois s'agiter comme des fourmis. Certains parlent par deux dans un coin, d'autres se réunissent sur la place en groupes pour se lamenter ou invectiver ceux qu'ils jugent responsables : le capitaine qui a arrêté le mauvais suspect, le garde champêtre qui ne fait pas bien son travail, trop occupé à surveiller sa femme ; le baron qui ne se donne même pas la peine de venir au village, laissant son frère, Cingly-le-cinglé, faire peur aux enfants avec son fusil chargé. Don Quitousse, le vieux soldat, se promène en faisant des moulinets avec son épée rouillée, au risque de blesser quelqu'un.

—Qu'on attrape ce misérable qui a attaqué notre bienfaitrice! Que je lui tranche la gorge!

Les trois frères se moquent de lui, échangeant avec le drôle de langage gestuel qu'ils ont développé entre eux. Le tavernier se dépêche de pousser le vieux soldat chez lui pour le faire taire, tandis que la servante du baron arrive aux nouvelles, par la rue qui vient du château. Les villageoises la prennent à partie:

—C'est maintenant que ton maître t'envoie? Il n'en a donc rien à fiche de ce qui peut se passer au village?

—Qu'est-ce qu'il y a de si grave? L'étranger a encore vandalisé la boulangerie? Je croyais que vous l'aviez fait arrêter par votre capitaine et par le garde-chiourme!

—Comme elle nous prend de haut, la servante! Mââdame travaille au châââteau alors elle pète plus haut que son cul, commente une grosse femme.

—Il avait un complice à coup sûr! explique une autre villageoise, plus calme. La pauvre mère Loisel a été volée et attaquée à la scierie.

—Quoi? Elle est morte?

—C'est tout comme! Même la sorcière n'arrive pas à la réveiller! dit la grosse femme en crachant par terre.

Son insulte vis-à-vis de ma grand-mère me fâche encore plus que d'habitude. Pas de bol pour elle, je suis juste au-dessus. Je prends mon seau d'aisance et je le vide par-dessus bord. Le contenu tombe juste à côté de la vilaine villageoise, qui est éclaboussée de pisse. Elle pousse un hurlement et lève la tête pour voir d'où ça vient, mais j'ai déjà filé. Je dévale les escaliers. Dans la cuisine, c'est le bazar le plus complet. Ma grand-mère a sorti des placards tout ce qui lui semblait utile pour soigner la mère Loisel, qui est allongée sur la table, transformée en table d'opération. La pauvre femme est inconsciente : c'est un coma, un sommeil profond, d'après Grand-Mère. Celle-ci dort, assise au chevet de son amie, la tête dans ses bras, sur la table. Je n'ose pas la réveiller, car elle est épuisée. Je lui fais une tisane que je laisse en évidence près d'elle, je range ce que je peux sans faire trop de bruit. En sortant pour jeter les bassines d'eau souillée de sang au fumier, je remarque tout de suite un nouveau paquet bleu, contre le mur de la maison. Je me précipite dessus. Un cadeau ! Un autre cadeau pour moi ! Je regarde à gauche, à droite, dans l'espoir d'apercevoir mon père, mais je ne vois personne. En posant la main dessus, j'ai le cœur qui bat la chamade, les doigts tremblants… Je m'apprête à le déballer quand, soudain, l'Ancien arrive dans le jardin par le petit portillon. Flûte ! Il est toujours là au mauvais moment, quelle poisse. Plus petit que le précédent, le cadeau tient heureusement dans la paume de la main et l'Ancien ne le remarque pas. Je le glisse dans mon tablier.

—Lapsa! Comment va Hermeline depuis tout à l'heure?

—Pas mieux, dis-je à l'Ancien, qui est resté une partie de la nuit dans notre cuisine afin d'aider comme il pouvait. Vous avez trouvé ce que vous cherchiez?

—Oui, Martin m'a donné ce vieux livre de chirurgie qui donne quelques précisions sur l'anatomie.

—Il ne vient pas vous rejoindre? demandé-je en espérant faire diversion pour aller ouvrir mon cadeau, tranquille, dans ma chambre.

—Si, si, il est passé pendant que tu dormais, il pense que sa blessure a été bien soignée, mais que la mère Loisel a sans doute aussi un traumatisme crânien et qu'il faut attendre. On va la déplacer doucement dans le lit de ta grand-mère avec Martin. Le pauvre homme, il était bouleversé. Il est très émotif.

—Il n'y a rien à faire, alors?

—Rien, si ce n'est prendre soin de son corps tant que son esprit est en sommeil, soupire l'Ancien en entrant dans la maison, mettant enfin un terme à notre conversation.

Je remonte à toute vitesse dans ma chambre pour ouvrir mon cadeau. Je déballe le paquet bleu… c'est une chaîne en or avec un magnifique médaillon qui représente une fleur pourpre, composée d'une multitude de petites pierres rouges. C'est une amarante, une fleur qu'on appelle… une queue-de-renard!

Je contemple le bijou. Il a l'air si précieux. Je n'ai plus beaucoup de doutes sur l'identité de celui qui me fait ces cadeaux : qui aurait pu me donner ça à part mon père ? Je me prends à rêver. Et si je le retrouvais ? Qu'est-ce que je lui dirais ? Qu'attend-il pour venir me voir ?

J'observe chaque détail de mon cadeau, émerveillée par sa finesse. Soudain, je sens une minuscule irrégularité sous mon doigt : il y a un défaut ? Je me rapproche de la fenêtre pour observer le côté du médaillon : c'est une sorte de tout petit bouton de métal que j'enfonce avec difficulté. Il a dû rouiller. J'insiste, il y a un petit clic et le médaillon s'ouvre. J'ai l'impression de découvrir un secret ancien : dedans, il y a un portrait miniature. Un homme. C'est mon père, je le reconnais !

Je sors de sous mon matelas les dessins que j'ai pris chez la vieille folle pour comparer. Je les ai déjà regardés longuement hier soir : le portrait de ma mère me fascine, mais il ne comporte rien d'autre que son superbe visage à la peau de lait, taché de son. Le dessin représentant mon père est bien le même que le portrait ! Il a des yeux noisette, une peau hâlée, des cheveux blonds comme du beurre. Il semble avoir quinze ans, comme ma mère. Je suis submergée par l'émotion : ce médaillon appartenait sans doute à ma mère, qui d'autre y aurait mis un portrait d'Éloi ? Je le serre contre moi. Mon père m'a fait deux cadeaux inestimables, deux objets de ma mère, elle qui ne m'avait rien laissé. Il doit vraiment m'aimer pour s'en être séparé. Cela me réchauffe le cœur.

Puis, je regarde plus attentivement le dessin fait par la vieille. Mon père est au premier plan, il lève une main dans laquelle il tient un masque de loup, du même genre que ceux que j'ai vu dessinés dans le journal de l'Ancien. Derrière lui, une femme porte le même masque et sa masse de cheveux roux ne me laisse aucun doute sur son identité. C'est ma mère. Ils étaient ensemble, complices de je ne sais quelle mascarade. Le plus étonnant se trouve à l'arrière-plan : une maison y brûle. Est-ce que ce serait la ferme des frênes ? Celle de mes grands-parents, celle dont parlait l'article que j'ai retrouvé chez l'Ancien ? Se pourrait-il que l'incendie criminel soit le fait de ces deux loups masqués ?

Je ne peux pas imaginer mes parents en criminels… ce serait trop horrible ! Orpheline et fille de meurtriers ? Non. Mon père est quelqu'un de bon, il me l'a prouvé avec ces deux cadeaux. Et ma grand-mère n'aurait pas gardé un tel amour pour ma mère si cette dernière avait fait brûler une maison avec ses occupants à l'intérieur.

Par contre… peut-être que son silence à propos de mon père cache quelque chose. Est-il coupable ? J'ai des doutes : cela expliquerait qu'il se soit enfui. Et si c'est vraiment lui que j'ai vu sur la colline des pendus, l'autre nuit, il est peut-être aussi l'agresseur de la mère Loisel ?

Mon père, un assassin ? Pire que ça, un parricide ! J'ai beau me démener contre cette idée, je ne peux pas m'en détacher. Je sens qu'il y a un mystère là-dessous. Je dois trouver cette ferme, comprendre ce qui s'est passé, j'ai besoin de réponses.

Je mets le médaillon autour de mon cou, caché sous ma robe, et je sors de la maison par devant pour aller voir le garde champêtre, en grande dispute avec sa femme.

— Puisque je te dis que Pablo est innocent ! s'exclame-t-elle.

— Qu'est-ce que tu en sais ?

— Mais voyons, triple buse, il ne peut pas avoir agressé la mère Loisel puisqu'il était en prison !

— Et alors, rien ne prouve qu'il n'a pas saccagé la maison du boulanger ! Pourquoi le défends-tu ? interroge le garde champêtre, suspicieux.

— Euh… s'il vous plaît, dis-je en posant ma main sur son bras.

— Quoi ? me demande-t-il brusquement en se retournant. Ah, Lapsa, c'est toi ! Qu'est-ce que tu veux ? La mère Loisel s'est réveillée ?

—Non… je cherche un renseignement. Je voudrais savoir où est l'ancienne ferme des frênes.

Le garde champêtre ne me répond pas, car sa femme en profite pour prendre la poudre d'escampette.

—Hélène! Reviens! On n'a pas fini de discuter!

Je lui tiens le bras, l'empêchant de partir.

—S'il vous plaît! Où est la ferme des frênes?

—Sur la route de Montolivet, aux Aulnettes, juste après l'embranchement. Mais pourquoi tu me demandes ça?

J'ai peur soudain qu'il m'empêche d'y aller, mais sa femme se carapate à toute vitesse et il m'oublie aussitôt. Il la suit en criant:

—Hélène! Hélène!

Eh bien voilà! Je deviens de plus en plus efficace pour obtenir ce que je veux des adultes. Je prends la route indiquée et m'éloigne rapidement du village. Il fait un peu froid, je serre le châle que m'a offert la mère Loisel sur mes épaules. Je l'aime bien, cette femme, j'espère qu'elle va s'en tirer. Grand-Mère est si attachée à elle, ça lui ruinerait le moral de la perdre. Et si mon père avait voulu se venger d'elle en s'attaquant à sa meilleure amie? Non… je me trompe sûrement, ça ne peut pas être ça.

J'arrive enfin au hameau indiqué par le garde champêtre. Il y a deux fermes qui se font face. Personne n'est dans la cour, heureusement. Je contourne les bâtiments et vois l'ancienne ferme des frênes. Aucun doute : il reste des ruines, des fondations, des poutres noires en décomposition. Et, un peu plus loin, une pierre tombale dans un petit jardin clos. Je m'approche, pousse le petit portail de bois en piteux état. Deux noms : Hélène Pernel, 1797-1831. Antoine Pernel, 1795-1831. Pernel. Comme mon père. Ce sont mes grands-parents.

Je m'agenouille sur leur tombe, le cœur serré, sur la pierre, où une phrase a été gravée sans doute à la hâte, car les coups de burin ont été maladroits et elle est presque effacée. Je déchiffre cependant une phrase qui me laisse songeuse : « *N'ayez pas pitié des morts. Ayez pitié des vivants qui sont sans amour.* »

Pourquoi écrire ceci sur une tombe ? C'est vraiment bizarre.

Soudain, un craquement me fait sursauter. Je demande, inquiète :

— Qui est là ?

La tête d'Arnoux apparaît derrière le mur du jardinet.

— Mais ! Qu'est-ce que tu fais ici ? m'écrié-je.

— Chut ! Parle moins fort !

— Quoi ? Pourquoi ? Tu te caches ?

Arnoux hoche la tête, me fait signe de le rejoindre. J'enjambe le muret et découvre qu'il est planqué dans un buisson : seule sa tête en dépasse.

Je m'assieds face au fourré, me demandant s'il n'a pas perdu la boule.

—Pourquoi tu te caches dans ce buisson?

—Ça ne te regarde pas. Et si je te le dis, tu vas devoir me suivre.

—Te suivre où? Tu es fou! La mère Loisel a été blessée cette nuit, je dois retourner aider ma grand-mère.

—Ben qu'est-ce que tu fais là, alors?

—Je… ça ne te regarde pas non plus.

—Ah, tu vois, tu as tes secrets aussi!

—Oui, enfin, moi, je ne suis pas cachée dans un fourré en plein jour. Pourquoi tu ne veux pas que je te voie? dis-je en repoussant les branches qui le dissimulent.

—Non!

Il est couvert de sang. Sa chemise, ses mains sont brunes de sang séché. C'est lui, c'est lui l'agresseur! Je bondis et m'enfuis en courant tandis qu'il m'appelle en vain:

—Lapsa! Lapsa! Ce n'est pas ce que tu crois!

Je cours d'une traite jusqu'au village, complètement affolée. Arnoux, l'agresseur de la mère Loisel! Au moins, ce n'est pas mon père. Sauf s'ils sont complices? J'arrive sur la place, essoufflée, sans savoir quoi faire de cette information. Dois-je dénoncer Arnoux? En parler à Lune? Non. C'est trop grave, je dois prévenir le capitaine. Où est-il?

Un attroupement s'est formé dans la ruelle qui longe la taverne : je me précipite et découvre avec eux une grande inscription faite au charbon sur le mur blanc.

—Je viens de la trouver, s'exclame le tavernier.

—Lapsa, tu peux nous la lire, s'il te plaît? dit le capitaine.

—Oui! « Le coupable est celui dont les avances ont été repoussées, celui qui a voulu se venger, le criminel est A. » L'inscription s'arrête là.

Tout le monde soupire de déception.

—C'est bien gentil, râle le garde champêtre, mais ça ne nous dit pas qui est l'agresseur, des garçons avec un A., il y en a plein!

—Moi je sais qui est ce A.! C'est Arnoux! m'écrié-je alors, avant de me rendre compte, mais trop tard, que je viens peut-être de le condamner à la guillotine.

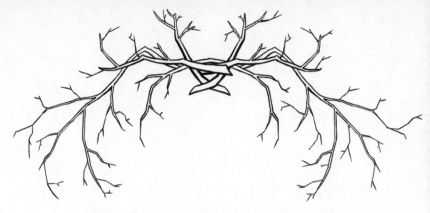

ARREST mémorable de la Cour de parlement de Meaux donné à l'encontre de Gautier Guillaumin, pour auoir en forme de loup garou dévoré plusieurs enfans, & commis autres crimes : enrichy d'aucuns points recueillis de divers autheurs pour esclarcir la matière de telle transformation.

Extraict des registres du greffe de la Cour de Parlement de Meaux.

L'AN mil cinq cens soixante & quatorze, En la cause de messire Henry Camus docteur és droicts Conseiller du Roy nostre Sire en la cour souveraine de parlement à Meaux, impreteur & demandeur en matière d'homicide commis aux personnes de plusieurs enfans, dévorement de la chaire d'iceux sous forme de loup-garou & autres crimes & délictz. Le jour de St Michel dernier, estant en forme de loup-garou, avoir pris une jeune fille de l'aage d'environ dix ou douze ans

en une vigne pres le bois de la Serre. Illec l'avoir
tuée et occise tant avec les mains semblants pattes
qu'avec ses dents.

16

LAPSA

La salle de la taverne a été complètement réaménagée pour l'occasion. Les vieilles tables burinées, marquées par les coups de pintes de bière, tachées par les milliers de repas pris ici, ont été poussées sur les côtés. Une odeur de soupe aux choux flotte encore dans les airs, mais ça sent aussi la sueur. Les bancs de bois ont été disposés en rangs pour accueillir autant de personnes que possible et pourtant, il y a des gens debout dans tous les coins. Le bruit est assourdissant. Au fond, sur une estrade, une longue table surplombe le public attroupé. Y siègent le baron, son frère Cingly, le capitaine et le garde champêtre, tous très dignes et sérieux. Une chaise libre, au milieu, attend son occupant.

—Mais que fait-il donc, ce juge? s'écrie un villageois.

—Il vient de Montmirail, à ce qu'il paraît, lui répond une femme.

—C'est pas la porte à côté! s'exclame un jeune homme.

Tout le monde est là. Grand-mère s'assoit aux côtés de l'Ancien, près de l'estrade; on leur a installé deux fauteuils confortables, comme à des hôtes de marque. Je les ai souvent vus siéger dans des assemblées de cette façon: les villageois les considèrent comme la mémoire et la sagesse du village, quoique certains se méfient toujours de la «sorcière». D'habitude, la mère Loisel est à leurs côtés, mais elle gît actuellement dans le lit de ma grand-mère, toujours inconsciente. Puis je repère Lune et Raoul, assis côte à côte dans un coin, avec Dib, et je les rejoins en me frayant un chemin dans la foule. Quand j'arrive auprès de Lune, Dib me jette un regard sombre, il me reproche sans doute d'avoir dénoncé son grand frère d'adoption. Raoul me sourit faiblement.

L'ambiance devient très tendue. Les esprits s'échauffent quand, enfin, la porte s'ouvre sur le juge itinérant. Je m'attendais à un vieux monsieur bedonnant, c'est un jeune homme maigre et long comme un jour sans pain qui se présente. Sa lourde perruque lui donne un air gauche et emprunté. Il va s'installer à sa place, entre le capitaine et le garde champêtre, et sort un maillet de bois dont il se sert pour obtenir le silence. Il doit taper sur la table avec force pour que les conversations s'éteignent complètement.

—Bon… bonjour. Je viens ins… instruire cette aff… affaire d'agression à la scie… scierie aujourd'hui.

L'étonnement cloue le bec des villageois, mais très vite reviennent des murmures.

—Il est bè… bègue, murmure un villageois devant moi en riant. Ça va prendre des heu… heures!

J'ai bien envie de lui donner un coup de pied, mais Lune pose sa main sur mon bras à ce moment-là. Je la regarde, elle a les larmes aux yeux.

—Qu'est-ce qui t'arrive?

—C'est que… je suis si triste pour Arnoux!

—Lune, il a quand même frappé cette pauvre mère Loisel!

—Qui te dit que c'est lui? Cette accusation écrite sur un mur? Je ne sais pas qui est ce corbeau, mais ce n'est pas une simple inscription sur un mur qui prouve quoi que ce soit. Arnoux est innocent tant qu'on n'a pas prouvé le contraire. C'est bien pour ça qu'il y a un procès!

—Je l'ai vu de mes propres yeux, il était couvert de sang!

—Je t'assure, Lapsa, ce n'est pas lui.

—Que…

Je m'interromps parce que les accusés viennent d'entrer. Ramené de la ville par le juge, Pablo, encore plus misérable que d'habitude avec ses vêtements sales et en lambeaux, s'assoit sous les quolibets des villageois. Ils s'en donnent à cœur joie, se moquant de lui, de son accent, de sa couleur de peau... Un silence gêné se fait quand Arnoux le rejoint sur le banc des accusés. Personne ne semble ravi de voir un garçon de chez nous, aussi beau et aussi prometteur, se trouver là. Il a changé de chemise, il est propre. Je cherche ses parents du regard, mais ils ne sont pas là. Ça ne m'étonne pas, ils sont cruels et égoïstes.

—Vous... vous compa... paraissez aujourd'hui pour... pour avoir van... vandalisé et volé la scierie Loisel et la bou... boulangerie du village. Re... reconnaissez-vous les faits?

—Non, s'écrient d'une seule voix les deux accusés.

Le juge soupire, mécontent : il préfère sans doute que les criminels avouent d'emblée. Il prend alors le temps de raconter les faits qui se sont déroulés les deux dernières nuits au village, ce qui prend au moins une demi-heure vu qu'il bute sur tous les mots. Des témoins sont appelés dans l'affaire de la boulangerie. Pour Pablo, cela ne semble pas susciter de doute, il est forcément coupable. La femme du garde champêtre veut témoigner pour lui, mais, comme elle n'a rien d'autre à dire que «Il est gentil! Il est si gentil!», le juge la renvoie dans le public. Le garde champêtre est devenu rouge comme une tomate et semble avoir du mal à faire taire la jalousie qui l'habite. Les débats s'engagent pour essayer de savoir si Arnoux y est mêlé aussi. Je repense aux traces de griffures que l'Ancien a effacées à la boulangerie... serait-il possible qu'Arnoux ait un masque et des griffes de loup, comme mes parents sur le dessin de la vieille folle ? Pourquoi n'y ai-je pas pensé plus tôt ?

Lorsque le juge aborde l'attaque de la scierie, il apparaît qu'on a retrouvé l'argent de la mère Loisel répandu sur le sol dans son bureau. Tout le monde est rapidement persuadé qu'Arnoux a voulu voler sa patronne. De là, le juge l'accuse de l'avoir agressée. La salle est en pleine effervescence, condamnant le jeune homme. Un de ses collègues ouvriers est appelé à la barre.

— Oui, je l'ai vu courtiser la patronne. Il lui faisait des avances dans son bureau.

Les gens s'indignent à voix haute. La veuve Loisel est bien plus âgée que lui, et bien plus riche aussi.

— Je ne pensais pas qu'il était comme ça, quand même..., murmuré-je à Lune.

— Tu pourrais pas arrêter de l'enfoncer ? me répond-elle, assez en colère.

Je ne réponds pas, elle doit être très vexée que le bel Arnoux ne lui ait pas fait des avances à elle ! Elle doit se rendre compte qu'il n'a pas été sincère avec elle. Le juge poursuit son interrogatoire :

—Et co… comment Mme Loisel a-t-elle ré… réagi?

—Ah ça, elle était pas contente, pas contente du tout! Il faut dire qu'il avait été grossier. Je les ai entendus se crier dessus. Et elle l'a mis à la porte séance tenante.

—Nous… nous avons donc un mo… mobile, conclut le juge en renvoyant le témoin avec les autres. Où est la jeu… jeune fille qui l'a trou… trouvé aux Aulnettes?

Lune me serre le bras, comme si elle ne voulait pas que je parle. Pourtant, je ne peux pas me taire! La mère Loisel est la meilleure amie de Grand-Mère. Je me lève, toute tremblante, pour répondre au juge. Je suis impressionnée, je n'ai jamais fait ça.

—Vous… vous avez dit a… avoir vu l'accusé cou… couvert de sang?

—Oui, je l'ai trouvé aux Aulnettes.

—Que faisiez-vous là-bas? demande le juge à Arnoux.

—On dit que c'est un lieu maudit, alors personne n'y va jamais. Comme j'avais besoin de dormir, euh, je me suis dit que j'y serais tranquille.

Le prétexte est si grossier que toute la salle ricane.

—Comment était-il quand vous l'avez trouvé? m'interroge-t-il de nouveau. Il dormait?

—Non, il se cachait, et il avait du sang sur sa chemise.

—Celle-ci? interroge le capitaine, qui sort la chemise d'Arnoux d'une besace.

—Oui, je crois.

—Voi… voilà la preuve! s'exclame le juge, ravi.

Je me rassois, mal à l'aise. J'ai l'impression que mon témoignage a persuadé encore plus la salle de sa culpabilité, mais moi, en le regardant, je n'en suis plus si sûre. Il a l'air perdu et profondément malheureux.

—Tu as peut-être raison…, dis-je à Lune tout bas.

—Sur quoi? me demande-t-elle d'un ton acerbe.

—Ben, il a sans doute fait quelque chose, mais je ne sais pas si c'est lui le coupable de l'agression.

—C'est pas un peu tard pour avoir des remords? s'exclame Dib, le regard brûlant de colère.

—Taisez-vous! intervient Raoul. C'est à Arnoux de parler.

Arnoux se défend, il dit qu'il n'a pas frappé la vieille, qu'il était venu pour la voler, mais pas pour l'agresser.

—Je pensais qu'elle ne serait pas là! Je voulais juste prendre l'argent et partir du village…

—Pour… pourquoi ne pas avoir pris les pièces a… alors?

—Je croyais qu'elle cachait un plus gros trésor, j'ai cherché et, soudain, je l'ai entendue hurler et… là, je l'ai trouvée baignant dans le sang. C'est son sang sur ma chemise, mais ce n'est pas moi qui ai fait ça!

—Mais… mais qui? Avez-vous des té… témoins?

—Non! J'étais seul! s'exclame-t-il.

Lune pousse un petit cri soudain et semble vouloir se lever, mais Raoul lui prend la main pour la serrer et l'en empêcher. Mon amie doit être tellement désespérée de voir son amoureux accusé!

—Il ment! crie alors une voix que je reconnais immédiatement.

C'est la vieille folle, debout sur le pas de la porte. Tout le monde se retourne et les gens se poussent pour lui laisser le passage. Elle avance, claudicante, un de ses doigts tordus pointé sur Arnoux.

—Il ne pouvait pas être seul! Par trois! Ils vont toujours par trois!

—De… de quoi parlez-vous?

—Les loups, ils vont toujours par trois!

Soudain, la salle, qui s'était tue à l'entrée de la vieille, se remet à bruire de chuchotements. «Les loups…, entends-je dans toutes les bouches. Les loups sont revenus!» À ce moment-là, Lune et Raoul se lèvent et sortent précipitamment. Je veux retenir mon amie en lui prenant la main, mais elle me la retire vivement et part, le visage fermé. Je suis déboussolée. Cette révélation, l'attitude de Lune…

L'Ancien se lève alors, réclamant le silence.

—Hum… je crois que nous devrions proposer au juge une petite pause. Nous reprendrons les débats ensuite. Accompagnez ce brave homme dans votre jardin et servez-lui à boire sous la tonnelle, dit-il en se tournant vers le tavernier.

Le juge tourne la tête dans tous les sens, comme une chouette. Il ne comprend pas pourquoi on le met dehors, tout à coup. Mais l'autorité de l'Ancien est telle que le malheureux est quasiment porté jusqu'au jardin par le tavernier et le capitaine. Celui-ci revient tout seul.

—Louis s'en occupe, on est tranquilles pour un petit moment, dit-il en entrant.

Grand-Mère s'est levée à son tour. Tout le monde s'est tu de nouveau pour l'écouter.

—Ce que tu dis, demande-t-elle à la vieille folle, c'est qu'Arnoux est un loup-garou, c'est ça?

—Oui, c'est ça qu'je dis!

La salle pousse des petits cris. Moi, je suis complètement perdue. Des loups-garous? À Thiercelieux?

—C'est vrai? dit ma grand-mère en se tournant vers Arnoux.

—Euh…

—Tu peux parler. Nous savons ce que tu es.

—Je… je…

—C'est lui! C'est un loup-garou, il a blessé la mère Loisel! s'écrie un villageois. En prison! En prison!

Le cri se propage à toute la salle; rapidement, tout le monde hurle, tape du pied, réclame la prison pour Arnoux. Le garde champêtre, qui s'est saisi du maillet du juge, tape de toutes ses forces sur la table en réclamant le silence, en vain. Les villageois commencent à se lever, à se montrer menaçants vis-à-vis d'Arnoux, qui se recroqueville sur sa chaise, ayant perdu son air vantard. Il paraît fragile et, apeuré, il crie :

— Je ne l'ai pas agressée, je le jure ! Je le jure !

Mais personne ne l'écoute, il reçoit même un coup de poing d'un villageois énervé. Le capitaine finit par l'emmener par une petite porte, pour lui éviter de prendre plus de coups. Personne ne semble s'en rendre compte cependant, car une dispute a éclaté entre ma grand-mère et le frère du baron.

— C'est votre faute, tout ce qui arrive ! s'exclame Cingly-le-cinglé.

— Comment ça ?

— C'est vous qui provoquez tout ça, la lune rousse, les loups-garous, tout ça !

— N'importe quoi, espèce de jeune imbécile ! Vous savez très bien que cela fait partie de notre terre, de notre histoire !

— Elle a raison ! renchérit une vieille voisine. Ça a toujours existé. On n'y peut rien.

— N'empêche que c'est pas normal que ça se passe comme ça, râle un autre vieux. Ils sont pas censés devenir dangereux.

Je regarde tout cela avec stupeur. Tout le monde a l'air de trouver normal qu'il y ait des loups-garous dans ce village. Soudain, ma grand-mère s'aperçoit de ma présence.

—Lapsa! Rentre à la maison.

—Quoi?

—Rentre tout de suite, je ne te le dirai pas trois fois!

Je m'apprête à protester quand Martin m'attrape le bras.

—Écoute ta grand-mère. Je te raccompagne.

Et il m'entraîne dehors doucement, mais fermement, sans que j'aie rien pu dire de plus. Je suis presque sûre qu'ils ont échangé un regard de connivence. Devant la taverne, deux gendarmes font monter Arnoux et Pablo dans une charrette. Ils ont les fers aux mains, ils partent pour la prison. Arnoux me jette un regard triste, abattu, comme s'il ne devait jamais me revoir. Je me tourne vers Martin.

—C'est vrai? Cette histoire de loups, c'est vrai?

—Oui. C'est notre histoire ici, à Thiercelieux, soupire-t-il.

—Mais comment…

—Tous les quinze ans, il y a une lune rousse, explique le barbier. Cette lune réveille trois loups-garous parmi les jeunes du village. Ils essayent de redresser les torts à Thiercelieux, quitte à faire des coups d'éclat, mais sans grand danger. Et ils rentrent ensuite dans le rang, jusqu'à la génération suivante.

—C'est pour ça que… le boulanger! Bien sûr!
Il faisait du mauvais pain alors les loups l'ont puni!
Mais la mère Loisel… elle n'avait rien fait: Arnoux
n'a pas rétabli la justice en l'attaquant.

—Des fois, ça tourne mal, répond-il, embarrassé.

—C'est déjà arrivé?

—Oui, répond le barbier avec tristesse.

—Il y a quinze ans?

—Oui.

—Mais alors…

—Voilà, Lapsa, on est chez toi, va te coucher,
maintenant!

Il évite manifestement de me répondre: est-ce que c'est
Grand-Mère qui lui a demandé de me cacher la vérité?

—Non, non, attends: dis-moi, qui étaient les
loups la dernière fois?

—Ce n'est pas à moi qu'il faut poser la question,
j'étais à la ville pour mon apprentissage, à l'époque.

Il ne me dira rien! C'est sûr, elle lui a donné des
consignes. Après m'avoir adressé un sourire gêné, il
repart vers la taverne d'un pas vif.

Mais j'ai tout compris malgré son silence. Ma
mère et mon père: c'étaient des loups-garous! Mais
alors, qui était leur troisième complice? Forcément
quelqu'un de leur âge?

Et qui sont les deux autres loups d'aujourd'hui?

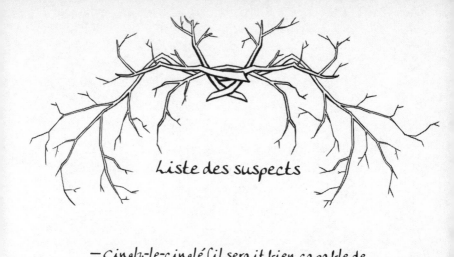

Liste des suspects

— Cingly-le-cinglé (il serait bien capable de
tuer)

— Le tavernier (l'inscription était sur son
mur ! Est-ce lui qui l'a écrite ?)

— Le capitaine (ça expliquerait qu'il ait
arrêté un innocent☐)

— Le garde champêtre (lui aussi)

— ~~Martin~~ (il a le même âge, mais il n'était
pas là il y a quinze ans)

— Le baron (la mère Loisel gênait son
autorité)

— Sa servante (elle ferait n'importe quoi pour
le baron)

+ l'Ancien (trop vieux mais vraiment étrange)

17

LUNE

Cette fois, le ciel est couvert de nuages et la lune n'est plus au rendez-vous. Sur la colline des pendus, le grand arbre mort au-dessus de nos têtes jette une ombre si noire que je peux à peine voir Raoul, accroupi à côté de moi, son masque à la main. Il tend le bras vers le coffre dont nous avons sorti les masques trois jours plus tôt, sous le gros rocher que nous avons soulevé.

—Bon, chuchote-t-il comme si tout le village pouvait nous entendre. Je crois qu'il est temps de les remettre là où on les a trouvés, hein ?

Je secoue la tête, encore sous le choc de ce qu'on vient d'apprendre.

—Les loups… Ils ont toujours été là, ils reviennent à chaque génération. Et au village, tous les adultes étaient au courant… Quand je pense qu'ils nous ont caché ça tout ce temps !

— Tous les villages ont leurs secrets, tu sais, et ça vaut peut-être mieux : on a eu de la chance que la vieille apothicaire ne nous ait pas dénoncés, nous aussi, la nuit de la scierie. Mais les secrets finissent toujours par éclater au grand jour.

D'un geste fatigué, je pose mon masque de louve sur mon visage et, aussitôt, ma vue se fait plus nette et une force étrange traverse mon corps tout entier. Quelle excitation, quel plaisir chaque fois que je le mets, et quelle souffrance de perdre cette sensation à tout jamais. Dire que Cingly échappera à ces griffes et à ces crocs…

— On n'aurait jamais dû se fier à *lui*, marmonne Raoul.

— Tu veux dire… à Arnoux ?

Je ne peux pas prononcer son nom sans ressentir une douleur poignante, et je vois bien que Raoul n'arrive même pas à le dire tout haut, lui non plus. C'était un loup, comme nous. Il faisait partie de la meute. Mais il s'est passé quelque chose de terrible.

— Franchement, Lune, il faut se rendre à l'évidence, non ?

Je frissonne un peu et remonte le col de ma chemise.

— Quelle évidence ?

— On est sortis du bureau de la scierie et ils étaient là, sous nos yeux : Arnoux et la mère Loisel. Elle était blessée, il avait du sang sur lui. C'est forcément lui qui a fait le coup, non ? Il la détestait ! Il voulait lui voler son argent !

— Ça ne peut pas être lui. Il a prêté serment, il n'a pas pu faire une chose pareille.

— Alors qui aurait fait ça ?

— Je n'en sais rien, moi ! Un brigand ? Un bandit de grand chemin ?

— Ça ne tient pas debout, répond Raoul. Les bandits attaquent des voyageurs qui transportent leur fortune sur la route. Pas une femme au beau milieu d'un village, et qui n'a pas un sou dans ses poches.

— Ou alors… c'est quelqu'un qui avait déjà frappé dans le passé. Tu te souviens des dessins chez la vieille folle, la grange en flammes, le père de Lapsa qui tenait un masque de loup ? J'ai l'impression que tout ça s'est déjà produit autrefois, des attaques, des meurtres, et que les adultes ne nous disent pas tout.

— Je ne sais pas, Lune, je ne comprends plus rien… dit Raoul en secouant la tête et en essayant de cacher ses larmes. J'ai accepté de faire partie des loups parce qu'on voulait rendre la justice, on devait juste faire peur à deux ou trois villageois, mais là…

Il ne finit pas sa phrase, mais je le fais pour lui dans ma tête : là, Arnoux risque la guillotine et la mère Loisel a été poignardée dans la scierie. Tout ce sang, toute cette violence… Comment en est-on arrivés là? Qu'est-ce qu'on a déclenché? Et que doit-on faire, maintenant?

— Alors tu vas partir, c'est ça? me demande soudain Raoul. Tu vas quitter le village et aller à la ville? C'est bien ce que tu voulais faire avant de trouver les masques, non? Je pense que… Je pense que ce serait mieux pour toi: ici, tu risques de te faire attraper comme Arnoux et de finir sur la guillotine.

Il me dit ça avec tellement de tristesse que j'ai presque envie de lui prendre la main. Mais si je le fais, il va s'imaginer des choses et ça va le faire souffrir.

— Je ne sais pas, Raoul…

— Et moi, je sais qu'Arnoux est innocent, fait une voix au-dessus de nos têtes.

On sursaute tous les deux, prêts à détaler vers la forêt, cherchant dans le noir qui a bien pu parler.

— Ben dis donc. Pour des loups, z'êtes pas si difficiles à surprendre.

Une silhouette fine saute d'une grosse branche de l'arbre et atterrit en souplesse, juste devant nous. Je reconnais enfin sa voix: c'est le petit Dib. J'ôte aussitôt mon masque de louve, que j'essaye tant bien que mal de cacher derrière mon dos.

— Te fatigue pas, Lune, c'est pas moi qui te dénoncerai à ces salauds qui ont jeté Arnoux en prison.

Une trouée dans les nuages fait soudain tomber un rayon de lune sur son visage, à travers l'entrelacs des branches mortes de l'arbre. Mais ce n'est pas un visage humain qui se présente à nous : c'est une tête de loup. Dib lève ses mains devant lui et nous montre les longues griffes des gants en peau.

—Où t'as trouvé ça ? demande Raoul, les yeux ronds.

—Dans les affaires d'Arnoux.

—Il t'a tout raconté sur les loups, c'est ça ?

Dib hésite un peu, puis répond à Raoul :

—Pas du tout. J'ai deviné tout seul.

Si Arnoux lui a dit quoi que ce soit sur les loups, alors il a trahi sa parole envers nous. Mais ça, Dib ne nous l'avouera jamais : pour défendre son frère d'adoption, il serait capable de mentir à n'importe qui.

—En tout cas, tu tombes mal, fait Raoul, on disait justement qu'on allait tout arrêter.

—Ah ouais ? fait Dib en s'approchant de lui.

Avec sa tête de loup, on ne dirait plus du tout le gentil garçon de douze ans trop vite grandi, dont les filles se moquent au village. Sa timidité ? Son manque de confiance ? Tout ça a totalement disparu, ses gestes sont sûrs et fluides, sa voix bien assurée. En fait, on jurerait que ce jeune loup est plus grand et plus costaud que le petit Dib.

— Donc toi, t'as juré de défendre les opprimés et de lutter contre les injustices, et là, t'as l'impression que le boulot est terminé. Juste au moment où un innocent est jeté au cachot.

Je fronce les sourcils. Qui lui a parlé de lutter contre les injustices ? Et comment il nous a trouvés ici, à l'arbre des pendus ? C'est forcément Arnoux qui lui a raconté tout ça.

— J'ai pas dit que le boulot était terminé… bougonne Raoul. Je dis juste que la situation nous dépasse. Une femme a failli mourir et c'est peut-être notre faute, alors…

— Arnoux disait que tu étais un faible, Raoul. Que tu l'avais toujours été. Alors rends ton masque et fiche le camp, si c'est ce que tu veux, Bouboule !

Bouboule ? Dans la bouche de Dib, c'est le même ton et les mêmes mots que ceux d'Arnoux. C'est effrayant, cette imitation.

— Ouais, eh ben, je préfère être un faible plutôt qu'un meurtrier. Un peu que je vais m'en débarrasser, de ces saletés !

Il jette son masque et ses gants dans le coffre ouvert sous le rocher, mais Dib se met en travers de son chemin.

— Qui nous dit que tu ne vas pas nous dénoncer ?

— Et si je voulais le faire, Dib, qu'est-ce que tu ferais pour m'en empêcher, hein ? Tu me tuerais ?

Dib sort de sa poche un couteau de bûcheron, assez petit, mais très pointu et à la lame bien aiguisée.

—Avant de quitter cette clairière, tu vas nous jurer que tu ne…

—Je ne dirai rien à personne, morveux, pour qui tu me prends? le coupe Raoul sans craindre son couteau, en le bousculant pour s'en aller.

J'essaye de le retenir par le bras.

—Raoul! Ne fais pas ça, reste!

Mais il écarte ma main d'un geste rageur et pointe le doigt vers nous deux.

—Je ne dirai rien. Mais vous aussi, vous feriez bien de jeter ces masques avant qu'il ne soit trop tard.

Je l'entends s'éloigner et chacun de ses pas est comme une aiguille de glace dans mon cœur. Les larmes me montent aux yeux. Je m'aperçois soudain que sa présence avait pris peu à peu une importance immense, et que son départ laisse en moi un vide affreux. Dib se tourne vers moi.

—Et toi, Lune? Tu te défiles aussi comme une mauviette? Arnoux disait que tu en avais dans le ventre, mais je me demande s'il ne s'est pas trompé à ton sujet. On a pas mal de comptes à régler au village, à commencer par ta chère Lapsa-la-balance, qui a témoigné contre Arnoux.

Je serre les poings, prête à m'en servir contre Dib pour défendre mon amie. Et soudain, je comprends que je ne peux pas arrêter. Peut-être qu'on a eu tort de sortir ces vieux masques de leur coffre, peut-être même qu'on a déclenché quelque chose de très grave sans le vouloir. Mais c'est trop tard, maintenant. Et si j'arrêtais, ça ne réparerait rien du tout. La violence continuerait à se déchaîner, elle pourrait même frapper ma meilleure amie…

—On ne touchera pas à Lapsa. Elle n'a commis aucune injustice.

—Quoi? hurle Dib, qui s'étouffe à moitié de rage. Sans elle, Arnoux serait encore libre! Elle l'a dénoncé! Elle l'a accusé!

—Elle ne l'a pas accusé, elle a juste dit ce qu'elle avait vu: Arnoux en train de se cacher dans des buissons, avec du sang sur lui. Arnoux n'aurait jamais dû s'enfuir comme il l'a fait à la scierie, et il n'aurait jamais dû se montrer à Lapsa. C'est à nous qu'il aurait dû demander de l'aide.

—Tu es en train de dire que c'est sa faute, peut-être, s'il est en prison alors qu'il est innocent?

La terrible nuit de la scierie me revient en mémoire, et avec elle la lâcheté d'Arnoux, abandonnant la mère Loisel agonisante. Je ne sais pas s'il l'a frappée ou si c'était l'œuvre de quelqu'un d'autre. Mais il l'aurait laissée mourir sans un remords. Innocent, Arnoux? Vraiment?

—Tu me demandais si je me défilais, hein? La réponse est non, Dib, je ne me défile pas: je reste.

Notre prochaine cible, ce sera Cingly-le-cinglé, c'était décidé depuis longtemps. Et tant que je ferai partie des loups, personne ne touchera à un cheveu de Lapsa.

Dib crache par terre de mépris.

— Tu es qui, pour me dire ce qu'on doit faire ? On est des loups, on est des frères, on décide tous ensemble !

C'est effrayant, cette façon d'imiter Arnoux…

— Et toi, tu es qui pour me parler comme ça ? Tu étais où, quand le loup nous a guidés jusqu'ici ? Et quand on a saccagé la boulangerie et qu'on s'est enfuis sous le nez du capitaine ? Et quand on est entrés dans la scierie pour prendre l'argent de la mère Loisel ? Hein, tu étais où ?

Il se renfrogne et grommelle quelque chose d'inaudible. Pendant un instant, douché par mes réprimandes, il redevient le petit garçon de douze ans qui n'ose pas couper la parole aux adultes.

— Moi, je vote pour que la nuit prochaine, on attaque Cingly-le-cinglé, fait la voix de Raoul derrière nous.

— Raoul !

Une telle joie m'envahit, à le voir surgir de nouveau derrière nous, que je me jette à son cou et que je le serre fort contre moi en riant.

— Tu es revenu ! Tu es revenu !

— Tout ce que je voulais, dit-il en rougissant, c'était te convaincre d'arrêter avant que tu ne sois blessée ou jetée au cachot. Mais puisque tu joues les têtes de mules, je ne vais pas te laisser tomber.

Il ramasse son masque et, quand il l'ajuste sur sa tête, il redevient une bête puissante, aux muscles massifs, dont j'entends le souffle chaud à travers son museau de loup.

—Tu es sûr de toi, Bouboule? demande Dib, qui essaye de retrouver sa grosse voix et ses faux airs d'Arnoux.

—Toi, si tu m'appelles encore Bouboule, je te casse les pattes. Entre loups, on se doit le respect. Et pour commencer, si tu veux devenir l'un des nôtres, tu dois prêter serment. Alors maintenant, tu vas répéter chaque phrase après moi: *«Je fais le serment de la confrérie du loup...»*

Dib hausse les épaules et roule des mécaniques.

—C'est bon, j'le connais votre serment, vous pouvez me faire confiance.

Mais Raoul reprend d'une grosse voix sourde, où pointe l'ombre d'une menace:

—*«Je n'aurai ni collier ni maître.»*

— Répète, dis-je à mon tour. Deviens l'un des nôtres ou va-t'en d'ici et ne reviens jamais.

Dib nous regarde tous les deux à travers son masque. Et, de sa longue gueule aux crocs luisants, les mots du serment tombent finalement un par un dans le silence de la nuit:

—*«Je fais le serment de la confrérie du loup, Je n'aurai ni collier ni maître...»*

18

LAPSA

JE ME RÉVEILLE DE FORT MAUVAISE HUMEUR. Grand-Mère est rentrée très tard et s'est couchée immédiatement, sans m'adresser plus de mots que nécessaire… si ce n'est:

— Demain matin, on va avoir une petite discussion, Lapsa. Tu vas devoir m'expliquer certaines choses que je ne comprends pas.

— Quoi, par exemple? ai-je répondu avec énervement.

— On verra demain, là, je suis épuisée. Va te coucher, je vais dormir à côté d'Hermeline, a-t-elle rétorqué sèchement en tirant une natte de sous son lit, occupé par son amie.

Je me suis endormie comme une souche, j'avais déjà cogité toute la soirée et j'avais la tête lourde de questions non résolues. Ce matin, en me levant, je fais le point sur mon enquête en attendant que Grand-Mère se lève. Donc. Il y a des loups-garous à Thiercelieux. Moi qui croyais que les masques n'étaient qu'un déguisement! C'est tellement délirant que je n'aurais jamais cru un mot de cette histoire si le village entier n'en était pas déjà persuadé. Et si je n'avais pas vu les dessins de la vieille. Et ceux de l'Ancien aussi, les masques de loup... Je me demande comment c'est possible, comment j'ai pu grandir toutes ces années sans savoir qu'il y avait une malédiction à Thiercelieux. Quand je pense que Grand-Mère me répète sans arrêt de ne pas être trop crédule, que les fées n'existent pas, que le sel n'est d'aucune efficacité contre le diable, et surtout que les gens qui la croient sorcière sont terriblement stupides et crédules!

— Si je savais des sorts, dit-elle, je ne m'embêterais pas à ramasser des brassées de pissenlit pour faire mon vin, j'embaucherais un lutin!

En fait, elle me balade depuis des années: non seulement il y a bien une malédiction au village, mais elle en connaît manifestement un rayon sur le sujet. Il ne manquerait plus qu'elle soit une ancienne louve! Je secoue la tête... Je l'imagine mal avec un masque et des griffes.

Deuxième révélation: les loups-garous vont par trois. Mon père et ma mère étaient donc accompagnés d'une troisième personne il y a quinze ans. Et ça, c'est sans doute la meilleure nouvelle qui soit : ça veut dire que mon père n'est pas forcément le meurtrier de ses propres parents ! C'est peut-être le troisième loup qui a fait brûler la ferme ! Je dresse rapidement la liste des adultes du village, et l'évidence me saute aux yeux. C'est sûrement Cingly. Cingly-le-cinglé, évidemment ! Tout le monde sait qu'il est agressif et violent. Ce n'est pas pour rien qu'il est obligé de s'acheter une femme : personne ne veut de lui, il fait peur à toutes les filles du village. Il a tout d'un meurtrier.

Je me mords les lèvres ; Hermeline n'est pas morte. Heureusement. J'espère que cette pensée funeste ne va pas lui attirer le mauvais œil. Encore une croyance que Grand-Mère rejette ! N'empêche qu'elle doit bien y croire un peu, vu qu'elle a laissé le collier porte-bonheur de son amie à son cou, même s'il la gênait pour les soins.

Enfin, une dernière question me turlupine… est-ce que d'autres que moi ont suivi une renarde dans les bois ? Est-ce que c'est un hasard ou un rôle que m'a donné la lune rousse ?

J'ai fini depuis longtemps mon bol de lait, le soleil se rapproche du zénith et personne ne bouge dans la maison. Soudain inquiète, je pousse doucement la porte de Grand-Mère. Je suis immédiatement rassurée : elle ronfle tranquillement.

Et moi, je bous : attendre ici pour me faire engueuler ? Autant poursuivre mon enquête. J'hésite entre retourner dans les bois pour chercher des traces de mon père ou aller à la scierie pour essayer de comprendre qui a agressé la mère Loisel. Qui a pu faire ça ? Un loup d'aujourd'hui ? Cingly-le-cinglé ?

Je m'éclipse en vitesse, et marche vers la rivière d'un bon pas. Sur place, le silence règne : les ouvriers ont apparemment cessé le travail après l'agression de leur patronne. Ça m'arrange, je ne serai pas embêtée. Et si personne n'a travaillé hier non plus, les indices n'auront peut-être pas tous été effacés. Une barge attend encore d'être déchargée. J'emprunte l'entrée principale en observant autour de moi avec attention, à la recherche de traces de pas… ou de griffes ! Dans la grande pièce des machines, mon regard est attiré par la sciure mêlée de sang séché qui témoigne de l'agression. Personne n'a nettoyé. Il y a tant de traces de pas que je ne peux pas en tirer la moindre information. Le capitaine et le garde champêtre ont déjà mené l'enquête, ils ont brouillé les pistes avec leurs gros sabots.

J'avance vers le bureau, dont la porte gît, dégondée. Je cherche partout et je vois, sous l'armoire, que des pièces ont roulé. Personne ne les a vues, cachées sous ce meuble. Elles ont sans doute été abandonnées là par Arnoux : comme il l'a dit au procès, il n'a pas volé sa patronne. Par contre, il n'était pas seul, c'est sûr :

des traces de pieds sont parfaitement visibles. Ce ne sont pas celles du capitaine et du garde champêtre, mais des empreintes de pieds nus et boueux. Je les observe jusqu'à compter au moins trois personnes. Ça confirme l'hypothèse des trois loups. L'un d'eux a les pieds plus fins : une fille ? Mais laquelle ? Il y a une dizaine de filles de mon âge à Thiercelieux. Je ramasse les pièces et les glisse dans la bourse de cuir qui est ouverte sur le bureau pour les rendre à Hermeline. Je retourne dans la grande salle, furetant parmi les caisses en essayant de ne pas buter sur les nombreux outils qui traînent. Quelque chose claque soudain ; je sursaute. Je ne suis pas seule ! Je me faufile derrière une grosse roue dentée pour me cacher. Enfin, je découvre l'origine du bruit. Plus loin sur ma droite, une petite porte donne sur le côté de la scierie : ouverte, elle a claqué contre le mur à cause du vent. Enfin, j'espère que c'était bien un courant d'air ! Je m'approche prudemment et vois d'autres traces de pas. Mais celles-ci sont chaussées… Il y a bien une quatrième personne qui est venue. Dans la sciure, je n'arrive pas à savoir s'il s'agit d'un adulte ou d'un enfant, d'un homme ou d'une femme… ça pourrait être n'importe qui. Ça pourrait être mon père ! Ou Cingly !

Donc, ils sont bien quatre. Trois loups-garous et un autre. L'agresseur. Qui est peut-être aussi un ancien loup-garou. Oui, ça, j'en mettrais ma main à couper. Maintenant, il s'agit de découvrir son identité. Si c'est mon père, cela confirmera mes pires soupçons. J'aimerais le voir. J'aimerais lui parler, pour comprendre. Même si c'est un assassin, je veux le retrouver, savoir pourquoi il m'a abandonnée, pourquoi il me fait des cadeaux après toutes ces années. Peut-être s'en veut-il d'avoir fait mourir ma mère de chagrin? Non. Si c'est un fou dangereux, il n'en a sans doute rien à faire!

Une main s'abat soudain sur mon épaule.

—Aaaaaaahhhh!

—Chut, Lapsa! Ce n'est que moi!

Martin se tient devant moi, l'air un peu penaud de m'avoir terrorisée. Mon sang ne fait qu'un tour: et si c'était lui?

—Qu'est-ce que... qu'est-ce que tu fais là? demandé-je.

—Je suis venu voir si le travail avait repris. Et toi?

—Je... je...

—Tu mènes ta petite enquête, c'est ça? interroge-t-il, moqueur.

—Oui, dis-je, décontenancée. Et d'ailleurs, je trouve aussi étrange que tu sois là...

—Ha ha ha! s'amuse-t-il. Moi? Tu me prends pour le coupable? Tu ne t'es jamais demandé pourquoi mes clients sont si contents de mes services de barbier?

—Non…

—Je ne les coupe jamais avec mon rasoir, pas une seule fois, pour une raison bien précise : je ne supporte pas la vue du sang.

—Je croyais que tu étais chirurgien ?

—C'est théorique : j'ai tout appris, mais je suis incapable d'opérer.

J'éclate alors de rire en me rendant compte du ridicule de la situation. Quelle idiote ! Je fais une grosse bise à notre voisin, et je rentre en courant.

Quand je pousse la porte de l'apothicairerie, le cri de Grand-Mère m'effraye au point que je hurle à mon tour, pour la seconde fois de la matinée.

—Mais tu es devenue folle ou quoi ?

—C'est toi qui m'as fait très peur, protesté-je.

—Où étais-tu encore ? J'étais très inquiète.

—Je…

—Tu as de la sciure sur les chaussures ! Tu es allée à la scierie ! Tu ne crois pas que c'est dangereux ? Après avoir vu Hermeline pisser le sang ?

—Mais…

—Et qu'est-ce que tu faisais aux Aulnettes ? Tu aurais pu être blessée par cet Arnoux ! Qu'est-ce que tu es allée fouiner là-bas ?

—Je suis allée chercher les réponses que tu ne veux pas me donner ! crié-je à mon tour.

— Mais quelles réponses ?

— Toutes ! Tu ne me dis rien : cette histoire de loups-garous, c'est lié à mes parents, hein ? Ils en étaient aussi, avoue !

— Ne me parle pas sur ce ton, je n'ai rien à t'avouer, jeune fille Tu es désobéissante, inconsciente du danger, je n'ai aucune raison de te faire confiance.

— Mais il ne s'agit pas de confiance : j'ai droit à la vérité. Ce sont mes parents ! Mon père a disparu alors que tu as toujours dit qu'il était mort, et je ne savais même pas que mes grands-parents vivaient aux Aulnettes, tout près d'ici, je n'ai jamais pu aller fleurir leur tombe ni même savoir comment ils étaient pour honorer leur mémoire… Je croyais que mon père avait eu un accident, et ce n'était même pas vrai. Tu m'as menti sur tout ! Je veux savoir !

Je me rends compte que j'ai hurlé en voyant la tête défaite de ma grand-mère. Elle ouvre la bouche, comme pour protester, puis la referme, fronçant les sourcils.

— Tu es trop petite. Tu ne pourrais pas comprendre et je n'ai pas envie que tu continues à faire n'importe quoi.

— Alors dis-moi la vérité : si je savais où mon père est parti, ce qu'il est devenu après l'incendie de la ferme, je n'aurais pas besoin d'enquêter.

— De quel incendie parles-tu ? demande-t-elle, soudain affolée.

—Tu me prends pour une petite fille, mais j'ai des yeux pour voir et des oreilles pour entendre: j'étais aux Aulnettes, j'ai vu la ferme brûlée. Et je sais que ça a un rapport avec les loups-garous. Tu ne vas pas nier ça aussi? Tous les adultes savent qu'ils existent. J'étais au procès!

Elle secoue la tête, comme pour refuser l'évidence. Elle va devoir s'expliquer et elle n'en a aucune envie, je le vois bien.

—S'il te plaît… Mamie…

Des larmes perlent aux coins de ses yeux.

—Je ne peux pas t'expliquer tout cela, c'est trop dur… Je ne peux pas…

Elle éclate en sanglots, tombe assise sur une chaise. Et, d'une voix terriblement triste, toute petite, tremblante, elle parle enfin.

—Ta mère est morte, Lapsa, et tes grands-parents aussi. Ces derniers n'étaient pas des bonnes personnes, mais leur mort a été atroce. Ton… ton père, ce monstre, est parti en laissant la ferme brûler avec ses propres parents à l'intérieur. Il a laissé ta mère enceinte, seule: elle est morte à cause de lui. Voilà. Voilà la vérité…

Elle pleure, tassée, les épaules basses, et moi je sens le froid qui m'envahit. J'ai les entrailles glacées, les poumons pris dans un étau de glace. Ma tête explose. Elle continue, murmurant presque:

—Il n'y a plus que moi, et je suis en train de te perdre parce que je veux te protéger…

Je ne l'écoute plus. Je suis sans voix, sans sentiment si ce n'est cette immense douleur : Grand-Mère accuse mon père d'être un meurtrier. Un long silence nous enrobe, entrecoupé de ses sanglots, à moins que ce ne soit des miens… Je sens les larmes sur mes joues. Secouant la tête, j'essaye de chasser le mal de crâne qui m'a pris et je repense soudain à mon enquête. Elle se trompe. Elle est forcément dans l'erreur, il y a quelque chose qui ne colle pas.

— Si mon père et ma mère étaient des loups tous les deux, qui était le troisième ? dis-je, d'une voix ferme.

— Qu… quoi ? hoquette Grand-Mère.

— Le troisième loup-garou ? C'est la folle qui l'a dit : ils vont toujours par trois.

— Ce… c'est… tu ne vas pas croire quand même que… ce serait le troisième loup qui aurait mis le feu ?

— Pourquoi pas ? Et si ce n'était pas mon père l'assassin ? Et si ce fameux loup avait fait brûler la ferme ?

Elle ouvre de grands yeux, comme si elle était estomaquée.

— Lapsa ! C'est ton père qui a fait ça. Tu ne veux peut-être pas l'entendre, mais c'est la vérité. C'est ce que tu voulais savoir.

— Je ne te crois pas.

—Tu refuses la réalité, mais tu ne peux pas la changer. Je ne veux plus rien entendre de tout cela, c'est trop dur. Monte dans ta chambre, et n'en sors pas avant la nouvelle lune. Je t'apporterai tes repas.

—Non !

Je fais volte-face et je sors en courant de la maison, les yeux noyés de larmes. Je fonce directement chez Lune.

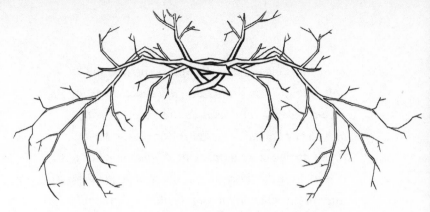

Maintenant je suis captif. Mon corps est aux fers dans un cachot, mon esprit est en prison dans une idée. Une horrible, une sanglante, une implacable idée! Je n'ai plus qu'une pensée, qu'une conviction, qu'une certitude: – condamné à mort!

Quoi que je fasse, elle est toujours là, cette pensée infernale, comme un spectre de plomb à mes côtés, seule et jalouse, chassant toute distraction, face à face avec moi misérable, et me secouant de ses deux mains de glace quand je veux détourner la tête ou fermer les yeux. Elle se glisse sous toutes les formes où mon esprit voudrait la fuir, se mêle comme un refrain horrible à toutes les paroles qu'on m'adresse, se colle avec moi aux grilles hideuses de mon cachot, m'obsède éveillé, épie mon sommeil convulsif, et reparaît dans mes rêves sous la forme d'un couteau. Je viens de m'éveiller en sursaut, poursuivi par elle et me disant: – Ah! ce n'est qu'un rêve! – Hé bien! avant même que mes yeux lourds aient eu le temps de s'entrouvrir assez pour voir cette fatale pensée écrite dans l'horrible réalité qui m'entoure, sur la dalle mouillée et suante de ma cellule, dans les rayons pâles de ma lampe de nuit, dans la trame grossière de la toile de mes vêtements, sur la sombre figure du soldat de garde dont la giberne reluit à travers la grille du cachot, il me semble que déjà une voix a murmuré à mon oreille : – Condamné à mort[1]!

19

LUNE

—Je te dis que c'est Cingly qui a frappé la mère Loisel ! me crie Lapsa, complètement surexcitée.

—Bien sûr que c'est lui, mais chut, moins fort.

Je l'ai croisée à la fontaine alors qu'elle courait me retrouver chez moi. Ici, tout le monde peut nous entendre. Il fait une chaleur à bouillir, en plein soleil. Ça fait un bien fou de tremper la main dans l'eau fraîche du bassin. Un angelot en pierre, armé d'un arc, crache un filet continu à travers la pointe de sa flèche. Beaucoup de villageois vont y remplir leurs cruches avant les repas.

—Cingly est fou et violent, poursuit Lapsa en baissant la voix, et il a exactement l'âge qu'auraient mes parents s'ils étaient encore en vie. Je suis certaine que c'est lui qui a brûlé la ferme des frênes, il y a quinze ans.

Je secoue la tête sans vraiment lui répondre.

— Je n'en reviens toujours pas de me dire que tout le village était au courant, pour les loups. Et qu'ils ne nous disaient rien, à nous. Dire que tes propres parents ont porté les masques, eux aussi !

— Moi aussi, ça m'a fait un choc. Mais tu as bien vu les peintures de la vieille folle.

— Oui, oui, je les ai vues…

On savait qu'on n'était pas les premiers, les mots du père de Lapsa sur le papier jauni et les poèmes trouvés dans le coffre le prouvaient. Et puis, bien sûr, ces masques n'étaient pas apparus de nulle part. J'aurais dû me douter que le village se souvenait de ce qui s'était passé autrefois. Mais ces dernières nuits, la sensation de la peau de loup sur mon corps était si grisante que j'avais l'impression d'être la toute première à l'avoir ressentie. Comme si on avait inventé les loups de Thiercelieux, à nous trois, à partir de rien.

Mais ce n'était pas le cas, bien sûr. Il y en a eu d'autres avant nous et il y en aura encore après… Quand je l'ai compris, j'ai ressenti une déception poignante, comme si on m'arrachait quelque chose qui m'appartenait. Mais maintenant, c'est presque le contraire. C'est comme si toutes les générations précédentes donnaient un sens et de la force à ce qu'on essaye de faire, nous, les loups.

—Hé, Lune, tu es toujours avec moi?

—Pardon, je pensais à… à Arnoux…

Bizarrement, ce n'est pas vrai. Je ne pense pas à lui et je découvre qu'il ne me manque pas tant que ça. Mais Lapsa rougit et baisse la tête.

—Je n'osais pas t'en parler… Je suis tellement désolée de ce qui s'est passé, je sais que tu l'aimais beaucoup et je n'arrête pas de me dire que c'est ma faute si…

Je hausse les épaules.

—Je ne crois pas qu'il soit coupable, mais il s'est mis dans le pétrin tout seul. Tu n'y es pour rien.

—Tu sais, j'y ai réfléchi… Et si le village se trompait? Si ce n'étaient pas les loups qui étaient dangereux, mais des fous comme Cingly? Je ne peux pas croire que mes parents étaient des criminels. Moi, je pense que les loups ne sont pas tous de mauvaises personnes.

Je ressens un immense soulagement à l'entendre dire ça. Les villageois semblent tous détester les loups, mais pourtant, on ne fait rien de mal! On défend les faibles, on répare les injustices!

—Oui, dis-je en prenant sa main dans la mienne, les larmes aux yeux. Oui, je suis certaine que tu as raison, ce ne sont pas tous de mauvaises personnes.

—Ben dis donc, tu es toute rouge! Viens, allons à l'ombre, ce soleil ne te vaut rien.

On passe devant le lavoir, où la femme du tavernier nettoie le linge de son mari tout en faisant la commère avec la femme du capitaine. Puis Lapsa m'emmène jusqu'au manoir, dont la façade couverte de lierre est à l'ombre et garde une certaine fraîcheur. Elle fait de grands gestes des deux mains, comme pour planter un décor de théâtre invisible.

— Revenons à Cingly. Imagine-toi la scène à la scierie : Arnoux déguisé en loup, avec deux complices, entre dans le bureau de la mère Loisel. Ce sale voleur a l'intention de dérober lâchement tout son argent à cette pauvre femme.

Je toussote pour ne pas m'étrangler.

— Euh, oui…

— Seulement la mère Loisel devine toujours tout. Elle se doute que ce petit ambitieux, qu'elle a mis à la porte, va essayer de se venger. Elle a peur pour sa scierie, qui est toute sa vie. Alors elle entre dans l'atelier en pleine nuit pour vérifier que tout va bien…

Je l'interromps, tout excitée :

— … mais ce que ni Arnoux ni la mère Loisel ne savent, c'est que Cingly est là, lui aussi ! Il entre par la petite porte de service, et il frappe la mère Loisel avec son couteau de chasse dans le dos des trois jeunes loups.

— Exactement ! fait Lapsa. D'ailleurs, tu sais quoi ? Je suis allée à la scierie, j'ai retrouvé les traces de trois paires de pieds nus… et, juste devant la porte de service, les empreintes d'une quatrième paire de pieds chaussés.

—C'est vrai? Alors c'est bien la preuve qu'aucun des loups n'a fait le coup!

Je suis tellement soulagée. Arnoux n'a rien fait, les loups sont innocents! Mais je fronce les sourcils et demande à Lapsa:

—Quelle raison avait Cingly d'attaquer la mère Loisel, tu crois? Je sais qu'il la déteste, mais… il déteste tout le monde, après tout, non?

—C'est évident, Lune! La mère Loisel est l'ennemie jurée du baron et de sa famille! Depuis des générations, ils possèdent les terres alentour, tout le village courbe l'échine devant eux. Et voilà que cette roturière monte une affaire qui la propulse presque au premier rang du village! Beaucoup de familles ont un fils ou un gendre qui travaille à la scierie, maintenant. Alors ils se sentent en force face à la famille du baron, ils ont une autre source de revenus, ils se mettent à contester son autorité. Le baron, encore, les gens le respectent, mais Cingly? Ce raté est devenu la risée du village, pour tous ceux qui ne sont pas obligés de lui payer un loyer! Il est peut-être cinglé, mais il n'est pas idiot: il sait que cette femme est une menace pour sa famille.

À cet instant précis, la porte du manoir s'ouvre et le baron, justement, en sort et descend les marches du perron. Il présente toujours bien, ce vieux beau, avec sa cravate blanche et sa chemise à jabot, dont le col a été soigneusement amidonné par ses domestiques. Comment fait-il pour sortir par cette chaleur avec une redingote et des gants blancs? Il faut dire que sa servante le suit comme son ombre, tenant une ombrelle à bout de bras pour le protéger du soleil. Il se tourne soudain vers nous, s'arrête et nous adresse un sourire.

— Belle journée, mes enfants, n'est-ce pas? Alors, que complotez-vous ici, toutes les deux, petites friponnes?

Ce qu'on complote, vieil aristo? Punir ton frère pour sa tentative de meurtre. Brûler sa cabane et briser en deux son fusil. Rendre la justice dans ce village que tu crois posséder depuis trop d'années.

— On jouait aux princesses, répond Lapsa d'une voix claire, se composant un visage innocent comme elle sait si bien le faire.

Le baron éclate de rire, passe la main dans mes cheveux pendant je réprime une grimace de dégoût et reprend son chemin sans plus se soucier de nous, pendant que Lapsa et moi, on retient un fou rire.

— Beurk, dis-je dès qu'il est hors de vue, tout en me frottant les cheveux.

Lapsa m'entraîne en courant jusqu'à la rivière pour me faire oublier le contact des gants du baron.

— Ce que tu es belle! fait-elle en regardant mes boucles brunes. Moi, je déteste mes cheveux de sorcière.

Tu parles, c'est elle la plus jolie, on le sait toutes les deux.

— Bon, dis-je en essayant de me recoiffer, donc Cingly frappe la mère Loisel parce qu'elle est une menace pour sa famille. Mais comment s'est-il trouvé là, en même temps qu'Arnoux?

Lapsa sourit, sûre de sa version des faits.

— Facile. Il pense que s'il attrape les loups, tout le village le verra enfin comme un héros. C'est un chasseur: pour lui, les loups sont du gibier. Alors pour les démasquer, il a très bien pu se cacher quelque part et épier le village pendant la nuit, à l'affût. Il a aussi pu repérer Arnoux et ses deux complices, déguisés en loups, et les suivre jusqu'à la scierie.

J'ouvre de grands yeux, imaginant Cingly avec son fusil, nous épiant tous les trois en ricanant tout bas.

— Tu crois vraiment qu'il aurait pu faire ça?

— La chasse, c'est sa passion. Il paraît qu'il est capable de rester sans bouger toute une nuit, à l'affût d'une biche ou d'un sanglier. Et s'il a vu les trois loups entrer dans la scierie, il a forcément vu la mère Loisel aussi...

— ... et là, il a sauté sur l'occasion! Il s'est dit: une pierre deux coups, j'élimine la mère Loisel et je fais porter le chapeau à un loup. Le village sera débarrassé de deux de mes ennemis.

—Exactement!

Lapsa a les yeux brillants d'excitation. Moi, je serre les poings à la pensée de ce tueur fou qui nous a pris en chasse avec son fusil mortel. Cette nuit, on lui servira une bonne leçon qu'il ne sera pas près d'oublier. Il comprendra qu'il ne fait pas la loi à Thiercelieux!

—Je me suis renseignée au village, reprend Lapsa, et j'ai appris une chose très intéressante: l'ancien baron, le père de Cingly, est mort il y a quinze ans exactement.

—Tu veux dire, à l'époque des derniers loups, quand tes parents portaient le masque?

—Oui! Et apparemment, le vieux n'avait rien laissé à Cingly en héritage: il avait presque tout légué à son aîné. Cingly n'avait eu qu'un bout de forêt et une vieille cabane.

—Et les terres agricoles qu'il loue aujourd'hui? Celle de mes parents et d'autres fermiers du village?

—C'est son frère qui lui en a fait don *après* l'incendie de la ferme des frênes, qui a coûté la vie à mes grands-parents.

Je fronce les sourcils.

—Où veux-tu en venir?

—Tu ne vois pas? Cingly a dû être absolument furieux à la mort de son père. Pour lui, cet héritage, c'était une injustice terrible. N'était-ce pas une excellente raison pour devenir un loup, à l'époque? C'est pour ça que je le soupçonne d'avoir brûlé la ferme des frênes autrefois, parce que je suis presque sûre que c'est un loup de cette époque qui l'a fait.

Je me lève brusquement, vexée malgré moi, et j'explose:

— Comment tu peux penser que Cingly était un loup? Et pourquoi l'incendiaire d'autrefois en serait forcément un? Tu as dit toi-même que ce n'étaient pas des personnes mauvaises. Les loups cherchent à rendre la justice et à punir ceux qui oppressent le village. Lui, c'est un égoïste brutal!

Mais en prononçant ces mots, je comprends que je suis allée trop loin. Lapsa me regarde d'un œil effaré, stupéfaite que je ne valide pas son hypothèse.

— Pardon, tu… tu as peut-être raison, dis-je pour me rattraper. C'est juste que j'imagine mal Cingly déguisé en loup avec tes parents.

Et soudain, je me rends compte qu'elle pourrait très bien avoir raison, pour Cingly: égoïste et brutal, n'est-ce pas le portrait d'Arnoux, après tout? Les loups peuvent être des personnes dangereuses, eux aussi.

L'expression du visage de Lapsa se radoucit un peu.

— L'incendiaire de la ferme était sûrement un loup: la vieille folle en a dessiné deux, devant le bâtiment en flammes. Et d'après elle, ils vont toujours par trois : il y avait donc forcément quelqu'un en plus de mes parents. C'était il y a quinze ans, Cingly était tout jeune et ils ont pu lui faire confiance. Et son frère, le nouveau baron, lui a donné des terres juste après l'incendie, comme s'il avait voulu calmer les choses. Moi, je suis sûre que c'était lui.

Sur la berge de la rivière, une grosse loutre plonge sous la barque du père Mathieu et réapparaît un peu plus loin, à l'affût d'une proie.

— Dire que mes parents veulent me marier à cet assassin.

— Ça n'arrivera jamais, Lune. Tu m'entends ? Je trouverai des preuves, je ferai appel au capitaine ou au juge bègue s'il le faut, mais ça n'arrivera jamais !

Je serre fort sa main. Non, Lapsa, ça n'arrivera jamais. Mais moi, pour mettre ce tueur hors d'état de nuire, je ne vais pas demander leur permission au juge bègue ou au capitaine. J'ai mes crocs, j'ai mes griffes, et j'ai mon clan de loups.

Ce ne sera plus seulement pour moi que je vais m'attaquer à Cingly cette nuit. Je ferai justice pour toi aussi, Lapsa. Justice pour tes parents.

20

LUNE

De nouveau, c'est la nuit, la forêt, et la lune brille au-dessus de nos têtes. Avec mes griffes au bout de mes doigts et mon visage de loup, j'ai la sensation grisante d'être invulnérable… Cette fois, c'est au tour de Cingly de payer.

J'aurais pu passer devant sans la voir si Dib ne m'avait pas fait lever le nez: sa cabane est perchée entre deux grands chênes, comme une bête à l'affût tapie dans les feuillages.

—Je n'étais encore jamais venu jusqu'ici, murmure Raoul en ouvrant de grands yeux. Ils sont hauts, les arbres, à cet endroit!

À l'abri des taillis, nos trois silhouettes se fondent dans les ombres en silence. À tâtons, je repère une échelle de corde qui monte jusque là-haut.

—Je passe en premier, chuchote Dib.

Agile comme un chat, il grimpe à l'échelle et disparaît en un clin d'œil au-dessus de nos têtes. On n'entend que le grincement d'une trappe qu'il ouvre pour pénétrer à l'intérieur.

—Tu es sûre que Cingly n'est pas chez lui? fait Raoul. J'ai cru entendre un bruit dans les buissons.

—S'il est là, on l'affrontera à un contre trois…, dis-je avec un soupçon d'inquiétude en tendant l'oreille vers la cabane. Mais il y a peu de chance: devant la taverne, je l'ai entendu parler avec son frère le baron, il disait qu'il dînerait au manoir pour parler des loups.

—Bon, je vais monter aussi, dit Raoul. Je n'ai pas trop envie de laisser Dib fouiner tout seul là-haut.

—Attends, je passe devant.

L'échelle de corde glisse sous mes mains gantées, maladroites à cet exercice avec leurs griffes, mais j'arrive rapidement à la trappe grande ouverte. À l'intérieur, il fait noir comme dans un four. Je distingue quand même Dib, accroupi devant le trou, qui me tend la main pour m'aider à entrer.

—T'en as mis du temps.

—Et toi? je réponds avec agacement. Tu en as profité pour chercher le fusil?

—Euh, non. J'vous attendais. Il fait trop sombre, on n'y voit rien.

C'est vrai que la lune vient d'être couverte par les nuages. Il fait tellement noir que, même avec le masque de loup, on ne distingue pas grand-chose. Je me hisse à travers la trappe ouverte. Il flotte à l'intérieur une odeur écœurante de transpiration et de viande faisandée. C'est ici que Cingly doit dormir.

— Allume une bougie, alors !

La tête de loup de Raoul émerge à son tour de l'ouverture.

— Vous avez trouvé le fusil ?

Dib gratte la pierre et le fer du briquet et, bientôt, un cierge d'église allumé apparaît dans son poing, révélant l'antre de Cingly dans ses moindres détails. Les murs et le sol sont entièrement recouverts de peaux d'animaux, une table et une chaise en bois brut constituent tout le mobilier et, pour dormir, Cingly a juste jeté un matelas rempli de paille dans un coin. Pour un riche propriétaire, on ne peut pas dire qu'il ait dépensé beaucoup d'argent pour la décoration… Il ne doit jamais faire venir personne ici.

— Hé ! Tu l'as volé à l'église, ce cierge ? s'écrie Raoul. Ça porte malheur d'utiliser un cierge pour…

— M'en fiche, le coupe Dib. Il éclaire, non ?

Hélas, aucun fusil en vue. Où Cingly aurait-il pu cacher une arme aussi grande ? Pourtant, la cabane est petite.

—Je l'ai trouvé! fait soudain Dib en soulevant une planche mal fixée, qui révèle une cache.

Il y saisit un fusil rutilant, au canon interminable.

—Bon, il n'y a plus qu'à le réduire en miettes, dit Raoul avec un regard brûlant de colère, avant d'empoigner l'arme par la crosse.

Je lui crie:

—Attention à toi, il est peut-être chargé!

Mais il ne m'entend pas et, d'un coup formidable, il le frappe si violemment contre la table que celle-ci se casse en deux sous le choc. Puis il baisse les yeux vers le fusil et constate, déçu, que l'arme n'a subi pratiquement aucun dommage. Alors il prend le canon entre ses deux mains puissantes et, en poussant un grondement sourd, exerce une telle force que l'acier se plie en deux, faisant sauter rivets et soudures.

J'en reste sans voix.

—Co… Comment t'as fait ça? s'écrie Dib, stupéfait lui aussi.

—Je me suis juste répété une chose: Cingly voulait forcer Lune à se marier avec lui, répond Raoul avec une colère froide dans la voix, jetant le fusil, tout tordu et inutilisable. Maintenant, il ne se sentira peut-être plus tout-puissant, hein?

C'est plus fort que moi: je lui prends la main malgré nos gants de peau et je la serre fort dans la mienne. Il tourne vers moi sa tête de loup. Est-ce qu'il sourit? Impossible de le savoir, mais sa respiration se fait plus rapide et ses yeux clignent dans les fentes du masque.

— Bon, ça, c'est fait, marmonne Dib. On continue?

— On continue.

Prise d'une rage aveugle, j'éventre le matelas et j'arrache les peaux de bête des murs, pendant que les autres fracassent la chaise et ce qui reste de la table. Raoul et moi, on monte même sur la plate-forme en bois que Cingly a construite à l'extérieur, là où il accroche son gibier sur des séchoirs à viande, que l'on casse comme le reste.

— Tiens, fait Raoul, il y a une corde attachée à un piquet ici, je me demande à quoi elle sert.

— Peut-être qu'il a déjà préparé la corde pour qu'on le pende…

— Qu'est-ce que tu as dit? me demande distraitement Raoul.

— Non, rien…

Quand on rentre à l'intérieur, Dib, qui a trouvé un petit flacon d'huile de lampe, en répand une bonne partie du contenu sur le sol, tout en éparpillant des chiffons imbibés aux quatre coins de la cabane.

— Qu'est-ce que tu fais, Bon Dieu? s'écrie Raoul.

— Le but, c'était pas de lui faire comprendre qu'il n'est pas le maître? C'était pas de lui faire peur?

répond Dib. S'il retrouve sa cabane en cendres, croyez-moi : il aura peur.

— Tu veux mettre le feu à la forêt ou quoi ?

— Bah, les sous-bois sont humides, par ici, ça ne risque rien.

J'éclate de rire, ivre de vengeance, entraînée par une frénésie de destruction.

— Ouais ! Brûlons tout, cette fois !

Mais mon regard se pose soudain sur le fusil plié en deux, jeté au milieu de la pièce.

— Vous ne trouvez pas qu'il est rouillé, ce fusil, pour une arme que son propriétaire bichonne tous les jours ?

Calmés par ma question, Raoul et Dib l'inspectent à leur tour.

— Ben non, répond Dib, le canon a été nettoyé.

Je leur prends l'arme des mains.

— L'extérieur, oui, peut-être parce que ce fusil est un souvenir important pour lui. Mais regardez bien l'intérieur : l'acier est couvert d'une pellicule de rouille.

— Quoi ? fait Raoul, catastrophé. Comment ça, un *souvenir* ? Tu veux dire que celui-là, c'est juste un vieux fusil ? Mais alors, ça veut dire qu'il en a un autre avec lui ?

On se regarde les uns les autres, beaucoup moins sûrs de notre force, tout à coup. Je colle de nouveau l'œil à l'entrée du canon tordu et je remarque aussitôt quelque chose.

—Eh! Il a caché quelque chose là-dedans…

Je glisse ma griffe de loup dans le canon et j'en extirpe plusieurs petits feuillets roulés en tube, dissimulés à l'intérieur. Ils sont jaunis par le temps, et enroulés sur eux-mêmes depuis si longtemps qu'ils craquent un peu quand je les déplie.

—Qu'est-ce que c'est? demande Dib. Tu arrives à lire?

—Si tu arrêtais de bouger tout le temps ce cierge, je pourrais peut-être essayer…

—Des articles de journaux? fait Raoul, penché par-dessus mon épaule.

—Non, je crois que ce sont des lettres, ça commence par… hein?

Je lis à voix haute les premiers mots de la lettre, incapable d'y croire:

— « *Mon amour…* »

— Cingly? Amoureux? s'esclaffe Dib. Amoureux de qui?

Ce fou furieux, cet avare, ce sale bonhomme dégoûtant et plein de colère… il a donc été amoureux? J'éclate d'un rire nerveux en pensant qu'une femme a un jour posé ses lèvres sur les siennes. Mais un bruit me fait tourner la tête et mon rire s'étrangle dans ma gorge: la face rouge et convulsée de Cingly vient d'apparaître dans l'encadrement de la trappe…

—Sales loups! Je vais vous trouer la panse! hurle-t-il.

Et il se hisse comme un diable sur le sol de la cabane, gêné par son long fusil au canon brillant, qu'il se refuse à lâcher même pour une seconde. De frayeur, Dib lâche la bougie par terre et une langue de flamme jaillit des peaux de bête, qu'il avait lui-même imbibées d'huile. Le feu l'enveloppe en un clin d'œil, mais le jeune garçon reste pétrifié sur place.

Je me jette sur lui, je le couche sur le lit pour éteindre les flammes avec une couverture et le sauve d'une mort certaine. Pendant ce temps, Cingly se met sur pieds et lève son arme. Raoul, qui a ouvert la porte de la plate-forme des séchoirs à viande, me crie en m'agrippant le bras:

—Par ici, vite!

Lâchant Dib malgré moi, je suis tirée à l'extérieur par la poigne ferme de Raoul.

—Attends, Dib va se faire…

Mais Raoul, avant que j'aie fini ma phrase, claque la porte derrière nous, renversant un séchoir à demi cassé contre le montant pour retarder Cingly. Puis il m'attrape par la taille et nous jette tous les deux dans le vide. Le choc me coupe la respiration, je me sens happée vers le sol, avant de comprendre que Raoul ralentit notre chute en se laissant glisser le long de la fameuse corde attachée au piquet. Voilà donc pourquoi Cingly l'avait mise là: c'était une issue de secours.

Au-dessus de nos têtes, la porte coincée par Raoul vole en éclats et les hurlements de rage de Cingly s'élèvent de la cabane, juste au moment où on arrive au sol.

—C'était moins une! fait Raoul en gagnant l'abri des fourrés.

—Attends! Dib est resté à l'intérieur, on ne peut pas le laisser là!

—Quoi?

Raoul ouvre de grands yeux paniqués.

—Je ne l'ai pas vu dans la cabane, je croyais qu'il était déjà sorti!

—Il était juste couché sur le lit. Il est resté avec Cingly!

—Lune, ne fais pas ça, il va te…

Je ne l'écoute pas. Je fais brusquement demi-tour et je me mets à courir en sens inverse, mais un coup de feu claque dans la nuit et un trait de glace me transperce le bras. La douleur est si intense que mes jambes se plient sous mon poids et que mon visage s'écrase sur la terre grasse de la forêt.

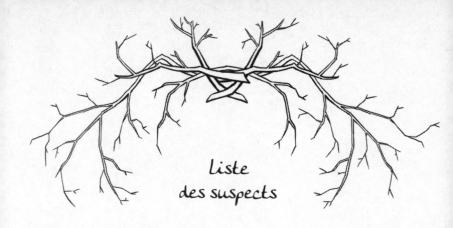

Liste
des suspects

— Cingly-le-cinglé (il serait bien capable de
tuer) (il avait une bonne raison de s'attaquer
à la mère Loisel) (il avait une bonne raison de
se trouver à la scierie) C'est lui, c'est sûr

— ~~Le tavernier (l'inscription était sur son~~
~~mur ! Est-ce lui qui l'a écrite ?)~~

— ~~Le capitaine (ça expliquerait qu'il ait~~
~~arrêté un innocent☐)~~

— ~~Le garde champêtre (lui aussi)~~

— ~~Martin (il a le même âge, mais il n'était~~
~~pas là il y a quinze ans)~~

— ~~Le baron (la mère Loisel gênait son autorité)~~

— ~~Sa servante (elle ferait n'importe quoi pour~~
~~le baron)~~

+ L'Ancien (trop vieux mais vraiment étrange)

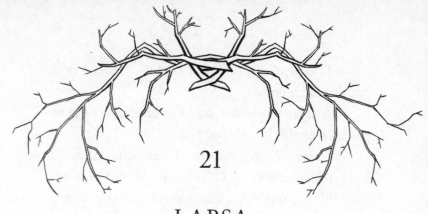

21

LAPSA

Cachée dans un buisson, j'ai vu les trois loups arriver près de la cabane, grimper à l'échelle et disparaître dans l'épais feuillage. J'étais venue trouver des traces de la présence de mon père dans les bois et voilà que je suis tombée sur eux!

Puis le chasseur est arrivé. Je ne suis pas sortie de ma cachette, j'étais tétanisée, je ne savais pas quoi faire : Cingly risque de tuer les trois loups-garous. Et peut-être mon père est-il parmi eux?

J'observe, je ne vois quasiment rien.

J'entends des cris là-haut; d'un coup, des flammes s'élèvent à travers les branches. Ils ont mis le feu! Quelques minutes après, deux des trois loups glissent le long d'une corde et atterrissent au sol lourdement.

Oh non! Ils se précipitent vers moi!

—C'était moins une! fait le plus proche, à trois pas de ma cachette.

—Attends! Dib est resté à l'intérieur, on ne peut pas le laisser là! lui crie l'autre.

Ces voix, c'est pas possible! C'est Lune et Raoul! Et le troisième loup est Dib! Mon sang ne fait qu'un tour. Elle m'a menti. C'est une louve. Mais l'évidence me saute aux yeux au même instant. Lune est ma meilleure amie. Elle n'est pas une mauvaise personne. Je dois lui accorder le bénéfice du doute. Je suis prête à surgir du buisson quand je la vois faire demi-tour.

Mais qu'est-ce qu'elle fait? Elle retourne vers la cabane? Elle est folle?

Soudain, un coup de feu me glace le sang. Lune s'écroule au sol dans un cri terrible, poignant, tandis que Raoul court vers elle. Là-haut, les flammes envahissent la cabane de Cingly et je l'entends vociférer. L'éclat de la lune fait briller le canon de son fusil! Vite, je dois aider Raoul à tirer Lune de là, ou le chasseur va les canarder comme des lapins!

Je saute hors du buisson où je suis cachée et me précipite vers eux dans l'obscurité. Pourvu que Lune soit vivante!

—Qui est là? s'exclame Raoul d'une voix grave que je ne lui connais pas.

—C'est moi, c'est Lapsa! Dépêche-toi, il va encore tirer!

Comme pour me donner raison, une seconde balle siffle à nos oreilles avant d'aller se ficher dans le sol. Je lève Lune, qui réagit faiblement. À mon grand soulagement : elle n'est pas morte ! Avec Raoul, nous essayons de la traîner vers les buissons où j'étais cachée, mais elle pousse un cri de douleur quand je touche son bras ; Raoul la jette alors sur son épaule avec une force incroyable. Un nouveau coup de feu retentit, sans toucher personne. Un hurlement de rage suit de près la détonation. J'accélère.

— Lapsa ! Avance ! me crie Raoul, qui est déjà plusieurs mètres devant. Viens, il y a un rocher là, cachons-nous derrière.

Il dépose doucement Lune dans l'herbe.

— Elle a pris une balle dans l'épaule.

— Il faut que je regarde sa blessure.

— Mais Cingly va nous poursuivre !

— Si Lune perd trop de sang, elle mourra, asséné-je.

J'arrache la chemise de Lune et vois le trou net qu'a fait la balle. En la soulevant, je me rends compte qu'elle a traversé le bras, ce qui me rassure : la balle est ressortie, et l'os n'est sans doute pas touché, sans quoi il l'aurait arrêtée. Apparemment, elle est passée en biais, dans le haut du bras. Lune saigne cependant énormément. Je cherche autour de moi de quoi faire une compresse et j'avise à quelques pas des feuilles épaisses, d'un vert tendre, dont mon instinct me dit qu'elles sont exactement ce qu'il me faut.

—Raoul! Attrape-moi ces feuilles là-bas!

Il a retiré son masque et il est rouge comme une écrevisse. Je réalise que la poitrine de Lune est presque dénudée; c'est ça qui le paralyse.

—Dépêche! dis-je en lui donnant une tape sur le mollet.

Il réagit enfin et m'apporte les feuilles demandées. Je compresse la plaie du bras avec une partie des feuilles.

—Raoul, soulève un peu Lune et appuie avec ton pouce ici. Presse comme ça pendant plusieurs minutes. Le saignement devrait s'arrêter.

—Comment tu sais tout ça?

—Mais t'es stupide ou quoi? Je suis la petite-fille de l'apothicaire! Elle m'a tout appris!

Raoul a l'air convaincu. Nous attendons, tous les deux serrés autour de Lune, comme un cocon protecteur. Nous entendons le crépitement du feu qui dévore la cabane du chasseur, mais aussi les bruits de la forêt autour de nous.

—Lapsa… Lune tremble beaucoup…, murmure Raoul, affolé.

Il a raison. Ce n'est pas que la blessure au bras. Je relâche ma pression et constate que le saignement s'est arrêté. Soudain, elle vomit. Raoul la tourne sur le côté pour qu'elle ne s'étouffe pas, puis je l'essuie avec les feuilles. Quelque chose d'autre ne va pas. Je ne sais pas quoi faire. Je suis désespérée.

— On doit la ramener chez Grand-Mère, il y a un autre problème.

Des craquements dans les fourrés nous alertent. Cingly-le-cinglé? Non! C'est un troisième loup! Je pousse un soupir de soulagement en voyant la tête de Dib apparaître derrière le masque.

— Ah! Tu t'en es sorti! s'exclame Raoul, soulagé. Cingly ne t'a pas suivi?

— Non, je l'ai laissé là-haut dans sa cabane en flammes. Mais qu'est-ce qu'elle fait là, elle?

— Oh! Calme-toi, Dib, Lapsa est de notre côté, tu le vois bien, non? lui fait Raoul.

— Tu as dénoncé Arnoux!

— Tais-toi, lui intime Raoul.

Il a manifestement gagné en autorité.

— Tu nous aides, on la transporte chez ma grand-mère, dis-je.

— Tu es folle! s'exclame Dib. Personne ne doit savoir qu'on est des loups!

— Elle le sait déjà, intervient Raoul.

— Quoi? s'étrangle Dib.

— Comment ça? demandé-je aussi, stupéfaite.

— Elle nous a vus à la scierie. Elle ne nous dénoncera pas.

Dib crache alors par terre.

—C'est une sorcière.

Ma main vole soudain et je gifle Dib avec rage.
Il n'en revient pas.

—Tais-toi, imbécile!

Il se tient la joue, comme un enfant puni, les yeux
noyés de larmes. Mais, aussitôt après, son regard se
durcit et il me lance:

—Tu me le paieras.

—Stop! s'exclame Raoul. On y va, maintenant.
Aide-moi à porter Lune. Lapsa, ça va aller?

—Ce n'est pas moi qui suis blessée.

—Non, mais tu es aussi blanche que ton amie!

Nous avançons dans la forêt comme nous
pouvons jusqu'au village. Heureusement, nous ne
croisons personne, ni Cingly ni aucun villageois.
Tout le monde dort et les volets sont fermés.

—Passons par derrière, soufflé-je.

Nous entrons dans la cuisine obscure. J'appelle
ma grand-mère, mais personne ne répond. Raoul et
Dib posent Lune sur la table, comme la mère Loisel la
veille. À la lueur de la lampe à huile, je constate avec
horreur que la plaie a pris une couleur gris ardoise. Je
cours dans la chambre, mais la patronne de l'usine est
seule, toujours aussi profondément endormie. Grand-
Mère est sortie. Où peut-elle bien être?

—Elle n'est pas là…, dis-je, angoissée, en revenant dans la cuisine.

Lune gémit et se met à trembler violemment. Elle vomit de nouveau.

—Je vais chercher le barbier.

—Non! s'exclame Dib. Tu ne vas pas révéler à tout le monde ce qu'on est! Tu veux qu'on finisse tous en prison?

—Je ne vous laisse pas le choix. Planquez vos masques et vos griffes, ou partez.

Les deux garçons se regardent. Finalement, Raoul défait un vieux sac de cuir qu'il portait dans le dos et il y glisse les masques et les gants avant de les cacher sous la table.

Je cours chez le barbier, dans la maison voisine, et tambourine à la porte de derrière, celle qui donne sur le jardin. Au bout de longues minutes, il finit par m'ouvrir, les paupières encore à demi fermées de sommeil.

—Qui est-ce… Lapsa? Qu'est-ce qui se passe?

—C'est Lune! Elle est blessée et Grand-Mère n'est pas là, j'ai besoin de toi, vite!

Il ouvre de grands yeux, se secoue et enfile une veste. Puis il me suit précipitamment jusque chez moi. Il s'arrête sur le seuil de la cuisine, étonné de voir Dib et Raoul, avant de s'approcher de mon amie. Quand il voit le sang qui a taché la chemise de Lune, il a un hoquet, comme s'il allait tourner de l'œil. Je me rappelle soudain qu'il ne supporte pas la vue du sang, et je jette un torchon sur son épaule pour cacher les taches rouges. Il prend une grande inspiration pour observer le bras de Lune. Il est si blanc que j'ai peur qu'il tombe dans les pommes, alors j'essuie les traces écarlates qui restent autour de la plaie. Il me remercie du regard. Lune gémit quand il touche la plaie, dont la couleur semble de plus en plus inquiétante. Il nous demande d'une voix grave :

—Racontez-moi.

—C'est Cingly-le-cinglé ! Il lui a tiré dessus dans la forêt ! s'exclame Dib.

—Mais qu'est-ce que vous faisiez là-bas ? Vous savez bien qu'il tire sur tout ce qui bouge ! s'écrie le barbier en fusillant les garçons du regard comme si je n'étais pour rien dans cette affaire.

—On… on…, balbutie Raoul.

—On voulait trouver le coupable de l'attaque de la mère Loisel. On pense que c'est lui, dis-je d'une voix ferme.

Le barbier, stupéfait, me considère en fronçant les sourcils.

—Je croyais que tu devais arrêter tes bêtises ! Où est ta grand-mère ?

—Je ne sais pas. L'important, c'est Lune !

—La balle a traversé, ce n'est pas ça le problème.

—Mais elle pissait le sang avant que Lapsa lui fasse son truc avec les feuilles ! s'étonne Raoul.

—Apparemment Lapsa a fait ce qu'il fallait pour l'hémorragie, répond le barbier en me jetant un regard en coin. Mais j'ai l'impression que Lune est empoisonnée. Vous avez la balle?

—Vous pensez que c'est elle qui a causé ça? Vous voulez que j'aille la chercher dans la forêt? demande Raoul.

—Non, je devine de quoi il s'agit. Lune est une louve, non?

Dib et Raoul se regardent. Dib fait non de la tête, mais Raoul prend la parole:

—Oui, tous les trois, on est des loups.

—Comment ça se fait que vous soyez encore trois? Arnoux n'était pas un loup-garou, lui aussi?

—Si, mais Dib a repris son masque, répond Raoul.

—Bon, en tout cas, ça explique pourquoi Lune est malade. Le chasseur a utilisé une balle en argent. C'est une matière qui contamine le sang des loups-garous très rapidement. Il faut agir vite.

—Mais on fait comment? m'écrié-je, complètement affolée.

—Je ne sais pas, avoue Martin. Mais toi, Lapsa, tu le sais peut-être. Tu suis l'enseignement de ta grand-mère depuis des années. Rassemble tes souvenirs: que ferait-elle dans ce cas?

Quand il dit ça, un voile se déchire devant mes yeux. Je sens encore l'urgence de la situation, mais la panique a disparu. Je sais alors quoi faire. J'ai l'impression qu'un courant d'énergie me traverse. Je me précipite dans l'apothicairerie, et je prends un petit bocal sur l'étagère derrière le comptoir. Je ne sais pas bien ce qu'il y a dedans, mais ça soigne mieux que quoi que ce soit d'autre : c'est ce que ma grand-mère a utilisé pour la mère Loisel.

J'étale le contenu du flacon sur la blessure, tandis que Raoul maintient Lune. Je masse la peau pour faire pénétrer le produit. Je me recentre, évacuant les bruits, focalisée sur mes mains. Martin me soutient en posant ses propres mains sur les miennes. C'est incroyable, comme si toute mon énergie se concentrait dans mes paumes. Je sens la chaleur qu'elles diffusent, qu'elles canalisent vers un point précis, à l'intérieur de Lune. Le sang empoisonné se purifie. J'ai l'impression de le voir.

— Lapsa ! Ça y est, s'écrie Raoul, elle a cessé de trembler.

Martin et moi retirons nos mains : la plaie est propre, saine, d'une belle couleur rosée. Je pousse un énorme soupir de soulagement et tombe assise sur mon vieux tabouret. La fatigue s'abat soudain sur mes épaules. J'ai sauvé Lune, et je suis épuisée. Le barbier me caresse la tête avec tendresse.

— Tu es la digne petite-fille de Delphine, me dit-il, plein de fierté.

— On fait quoi alors?

— Rien. Elle a besoin de repos pour reprendre des forces, rien de plus. Toi, par contre, dit Martin à Dib, tu t'es méchamment brûlé. Lapsa, tu sais quoi utiliser pour les brûlures?

— Oui, viens là, Dib, que je te soigne.

— Non! J'veux pas qu'on me touche.

Raoul ceinture Dib qui se débat, tandis que j'attrape un pot de baume au calendula sur l'étagère.

— Laisse-toi faire, crétin! Si on ne te soigne pas, tout le monde comprendra où tu étais cette nuit! dis-je en appliquant une couche épaisse de crème sur les brûlures du garçon.

— Pourquoi ça? demande le barbier.

— La cabane de Cingly a pris feu.

Dib me lance un regard de tueur.

— Quoi?

— On était en bas de son arbre, et une branche enflammée est tombée sur Dib, dis-je sans me démonter, mentant avec de plus en plus de facilité. Après, ce dingue de chasseur a tiré sur Lune, il a dû penser que c'était notre faute!

— De mieux en mieux. Vous êtes vraiment inconscients, ta grand-mère va être folle de rage, dit le barbier. Où est ma petite Lapsa si sage?

Mon gentil voisin secoue la tête de dépit, et je me rends compte que je l'ai déçu, ce qui me mord le cœur. Moi aussi, des fois, je me dis que c'était plus simple quand j'étais petite et innocente. Mais la vie en a voulu autrement. Les découvertes que j'ai faites sur mes parents m'ont fait grandir bien plus vite que je l'imaginais.

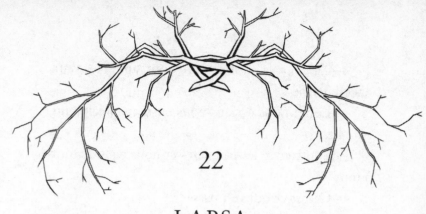

22

LAPSA

Toujours allongée sur la table, Lune bouge et gémit ; elle se réveille doucement. Grand-Mère n'est pas encore rentrée. Martin est retourné se coucher chez lui en me faisant promettre de ne pas faire d'autres bêtises. Comme si j'allais l'écouter ! J'ai été une petite fille sage pendant quatorze ans et tout le village m'a menti. Plus question que je me laisse faire. Maintenant que Lune et Dib sont soignés, ma colère contre ma grand-mère a repris le dessus, et je compte bien poursuivre l'enquête. J'ai hâte de savoir comment mes amis sont devenus des loups.

—On met les voiles ? demande Dib comme pour répondre à mes réflexions.

—Quand on sera sûrs que Lune va mieux, rétorque Raoul.

—Ça… ça va…, murmure notre amie, les yeux encore fermés.

—Lune! nous écrions-nous en nous précipitant sur elle.

Elle entrouvre les paupières et nous regarde tour à tour.

—Qu'est-ce qui s'est passé?

—Tu te rappelles quoi? demande Raoul.

—Je me suis fait tirer dessus par Cingly, c'est ça?

Lune tord un peu le cou pour jeter un œil à sa blessure.

—Ça ne me fait pas mal, s'étonne-t-elle.

—Martin et Lapsa t'ont guérie, répond Dib.

—Surtout Lapsa, le reprend Raoul. Sans elle, tu ne serais plus là.

Alors qu'elle était à l'article de la mort il y a deux heures, Lune respire à présent très facilement et se redresse en s'appuyant sur son coude sans même grimacer. Elle est vraiment guérie. Complètement. Grâce à moi. Mais cela ne m'affole pas plus que de savoir que je suis avec trois loups-garous. Je sais que ce qui m'a permis de soigner Lapsa me vient de ma grand-mère. Tout comme mes amis ont obtenu leur pouvoir du loup pour des raisons bien précises, dont je devine quelques-unes. L'évidence me saute aux yeux: la boulangerie, ce sont Lune et les garçons qui l'ont vandalisée. Même s'ils disent qu'Arnoux est innocent, ils sont forcément allés à la scierie puisque j'ai trouvé leurs traces de pas dans la sciure et la marque de griffe sur le montant de la porte. C'est sans doute ensuite qu'ils ont été rejoints par Dib. Celui-ci ne m'inspire pas confiance et, apparemment, il ne m'aime pas beaucoup non plus. Il me regarde avec suspicion et crache :

— Elle t'a soignée avec un sort de sorcière !

— Ça suffit, Dib, gronde Raoul. Lapsa l'a soignée, un point c'est tout. Nous n'avons pas de quoi être fiers de nous…

— Comment ça ? s'indigne Dib.

— On en parlera plus tard, assène l'apprenti boulanger, dont l'autorité semble de plus en plus grande. L'urgence, c'est de quitter la maison de Lapsa pour ne pas lui attirer plus de problèmes et de rentrer chacun chez nous. Cingly-le-cinglé va essayer de nous retrouver, et on doit profiter de la nuit pour réintégrer nos lits avant que le village se réveille. On a besoin de repos ; ensuite, il faudra réfléchir sérieusement, parce que tout ça est en train de nous dépasser.

— Mais…

— On se donne rendez-vous à la fontaine de l'angelot demain matin, on aura le temps de faire le point. Lune, je vais te ramener chez toi, tu pourras marcher ?

— Je ne sais pas, répond-elle en s'asseyant au bord de la table.

Je l'aide à se relever. Elle chancelle un peu, mais tient debout. Elle a l'air sacrément éprouvée quand même. J'ai peur qu'elle soit en état de choc.

— Je me sens encore faible… mais je peux marcher, décide-t-elle en me regardant. Ne t'en fais pas, ma Lapsa.

— Tu as perdu beaucoup de sang, il va te falloir un solide petit déjeuner et des bonnes nuits de sommeil ! dis-je en me forçant à sourire malgré mon angoisse.

Dib nous jette un regard en coin et file sans demander son reste : il est fâché, mais je m'en fiche. Ce que j'ai découvert de lui cette nuit m'a dégoûtée. Raoul me sourit tandis que Lune me serre dans ses bras, et ils partent aussi. Je range la cuisine pour effacer les traces de leur passage, puis je vais me coucher sans attendre Grand-Mère. Quelques minutes plus tard, je l'entends ouvrir la porte de la boutique. Elle monte jusqu'à ma chambre, pousse la porte, sans doute pour vérifier que je suis là, puis retourne au rez-de-chaussée sans un mot. J'espère que je ne la croiserai pas demain matin. Je dois absolument voir Lune et les deux autres loups, j'ai beaucoup de questions à leur poser.

Quand je me réveille, une bonne odeur de pain frais flotte dans la cuisine. Cela me rappelle que je n'en ai pas mangé depuis trois jours que le boulanger est parti. Je saute hors de mon lit.

En bas, je trouve Grand-Mère attablée avec Raoul devant une grosse miche de pain toute dorée!

—Alors la marmotte, bien dormi? me dit-il avec un clin d'œil.

—Tu… tu as fait du pain?

—Eh oui! Maintenant que ce vieux grigou est parti, je compte bien vous régaler avec de la bonne farine. En plus, tu m'as dit toi-même que les petits déjeuners étaient importants pour la santé! Je viens de porter une boule chez Lune qui dormait encore.

Je suis émue par sa gentillesse: au lieu d'aller se coucher comme nous autres, il a travaillé pour permettre à Lune de bien manger ce matin et de reprendre des forces. Et maintenant, il vient me prévenir qu'elle va bien.

—C'est tellement adorable! m'exclamé-je en m'asseyant.

—Raoul, dit Grand-Mère après avoir avalé une grosse bouchée de mie, c'est le meilleur pain que j'ai jamais mangé! Tu es très doué.

Le jeune homme rougit jusqu'à la racine des cheveux, ce qui me fait rire. Il me lance un regard mi-malheureux mi-fiérot. Il est content de son effet. Ça fait du bien de le voir comme ça, je me dis que les loups ont bien agi, au moins pour la boulangerie!

Puis je repense à la mère Loisel toujours dans le coma et à la façon dont mon amie a échappé de peu à la mort cette nuit. Je frémis.

—Grand-Mère, est-ce que je peux aller voir Lune?

—Non, tu es consignée.

Je respire un grand coup, prête à me fâcher, mais Raoul intervient:

—Laissez-la venir avec moi, je vous la ramène dans deux heures.

Grand-Mère hésite. Raoul lui fait un sourire candide, et elle cède. Trop facile. Elle s'est déjà faite avoir avec Lune, il n'y a qu'à moi qu'elle ne lâche rien. Ça m'énerve! Je croque une grosse bouchée de pain pour masquer ma colère.

—Tu veux qu'on aille chez Lune tout de suite? demande Raoul une fois que nous sommes sortis.

—Tu avais un autre plan?

—J'aimerais bien savoir où est ce dingue de Cingly. Il ne faudrait pas qu'il nous dénonce.

—Honnêtement, je pense que c'est une mauvaise idée d'aller à sa cabane, lui dis-je. J'ai peur que tu tombes dans la gueule du loup.

—Très drôle! fait Raoul en se renfrognant.

—Excuse-moi! Je… je ne vous considère pas comme lui: il est dangereux, et je ne crois pas que ce soit votre cas.

—Je n'en suis pas si sûr. On est quand même responsables de l'état de la mère Loisel, et puis…, hésite-t-il.

—Quoi?

—Je trouve que Dib est très agressif. J'aimerais que tout ça s'arrête, on s'est vengés, on est allés au bout de notre mission.

Je m'arrête net.

—Comment ça? Et la vérité alors? Tu crois que Cingly va s'en tenir là, lui? Il a sali la mémoire de mon père, c'est lui qui a blessé Loisel en laissant Arnoux payer à sa place et il a failli tuer Lune: on ne va quand même pas tout oublier!

—Tu n'as aucune preuve de sa culpabilité, Lapsa.

—Parce que tu as une autre idée, peut-être?

—Écoute, on n'en sait rien. Lune a failli mourir, on ne peut pas continuer à prendre des risques aussi grands. Je n'ai pas envie que tu sois blessée à ton tour.

Son inquiétude m'attendrit: il ne veut pas qu'il m'arrive quelque chose, c'est plutôt gentil. Pense-t-il vraiment que tout cela est leur faute? Il me sourit et part en courant vers la forêt. Je me dirige vers chez Lune et la trouve, sortant de la maison, l'air très en forme.

—Lune! Tu vas bien?

—On ne peut mieux! Tu m'accompagnes à la fontaine de l'angelot pour prendre de l'eau? dit-elle.

Apparemment, sa mère est dans la maison et Lune ne veut pas qu'elle nous entende. Elle prend la cruche sur l'épaule, celle qui était blessée, achevant de me convaincre qu'elle est complètement guérie. Je ne dis rien, mais je suis stupéfaite qu'elle se soit remise si vite d'une telle blessure. En chemin, nous échangeons à voix basse : à ma demande, elle me raconte toutes leurs aventures depuis qu'ils ont découvert les masques. Le serment, la boulangerie, la scierie et l'attaque de Cingly.

—Tu m'en veux de t'avoir caché la vérité ?

Je réfléchis un peu pour ne pas lui mentir, et elle semble inquiète. Nous arrivons à la fontaine, il n'y a personne. Le petit ange, avec ses ailes mignonnes, veille sur l'eau claire.

—Non. En toute franchise, j'étais déçue hier quand je vous ai suivis et que j'ai découvert que tu faisais des choses sans moi.

—Pourquoi es-tu allée dans la forêt ?

—J'étais venue chercher mon père, je me suis dit que peut-être je pourrais le repérer plus facilement la nuit : il doit bien faire un feu de camp ou s'éclairer à la bougie. Je ne comprends pas pourquoi il traîne autour du village sans venir me voir…

—Tu as dû être surprise quand même ?

—Dans le noir, je n'avais pas distingué vos masques, mais ensuite, quand je les ai vus après votre chute, j'étais trop inquiète pour toi pour t'en vouloir. J'ai accepté. Comme j'accepte d'avoir pu te soigner grâce à la potion de ma grand-mère. C'est incroyable, mais c'est vrai, non ?

— Oui. Tu m'as sauvé la vie. Je t'en serai éternellement reconnaissante.

— Je serai toujours là pour toi. Je t'en fais le serment.

Lune prend un peu d'eau de l'angelot pour en poser une goutte sur mon front.

— Je te promets que dorénavant, je serai aussi transparente que cette eau pour toi.

Je fais de même, et nous tombons dans les bras l'une de l'autre. C'est incroyable comme je me sens liée à elle. Nous serions sans doute restées dans les bras l'une de l'autre longtemps si Dib et Raoul n'étaient pas arrivés en courant, l'air totalement affolés.

— Le chasseur !

— Quoi ? s'exclame Lune.

— Il est mort. Le garde champêtre vient de le retrouver.

— Son visage… il était déchiré par des griffes, s'exclame Dib, atterré.

Mon sang se glace. Il y a un quatrième loup. Mais qui ?

23

LUNE

On se regarde tous les quatre, tétanisés par la nouvelle. Derrière nous, la fontaine continue de couler doucement et l'ange de sourire, les yeux au ciel, comme si tout allait bien et que Cingly était encore vivant.

—C'est... c'est pas possible, bafouille finalement Raoul, rompant le silence. Jamais un loup n'aurait assassiné quelqu'un de sang-froid.

Il se tait, puis reprend, la voix tremblante :

—Lune, Dib ? Vous n'avez quand même pas fait une chose pareille ?

Je touche mon épaule encore endolorie.

—Je ne vois pas comment j'aurais pu : j'ai reçu une balle, je te rappelle.

—C'est pas un de nous trois, fait Dib. Il y a un autre loup au village, c'est la seule explication que je vois.

—Attends une seconde, fait Raoul en agitant le vieux sac de cuir, celui qui contient nos trois déguisements de loups. Il n'y avait que trois masques sous l'arbre aux pendus, alors comment il pourrait y avoir un quatrième loup ? Tu es sûr que tu as pris celui d'Arnoux, ce n'était pas un autre masque que tu aurais trouvé ailleurs ?

—Tu me traites de menteur ? se met à crier Dib. Je l'ai vu chez Arnoux, sous la paille de son matelas ! Et puis, où est-ce que j'aurais trouvé un masque, sinon ?

—Alors, comment tu expliques que…

—Il a raison, dit soudain Lapsa. Peut-être que ce quatrième masque date de bien plus longtemps, peut-être que tous les quinze ans, le coffre s'ouvre et contient toujours trois masques même si les loups précédents ne les ont pas tous remis dedans. Je me demande si ce n'est pas quelqu'un au village qui les fabrique. J'ai trouvé un carnet avec des croquis de masques de loup chez l'Ancien, peut-être que…

—Chez l'Ancien ? qu'est-ce que tu fabriquais là-bas ? demande Raoul, intrigué.

—Peu importe l'Ancien. Moi, je suis sûre qu'il y a bien un quatrième loup… ou une quatrième louve. Cette personne devait sans doute déjà porter le masque à la génération d'avant nous. Et je suis certaine que c'est aussi ce loup qui a incendié la ferme des frênes autrefois.

Mais qui pourrait être cet ancien tueur ? On était persuadées que c'était Cingly l'assassin, Lapsa et moi. Mais on s'était trompées.

—Et ces lettres de Cingly que tu as trouvées dans son vieux fusil, Lune, qu'est-ce qu'elles racontent ? me demande Raoul.

Je fourre la main dans ma chemise, entre mes seins, et sors les vieux papiers roulés en tube. L'écriture de Cingly, étonnamment belle et régulière, danse de nouveau devant mes yeux. Il y a quatre lettres datées d'il y a quinze ans, que j'ai lues seule dans ma chambre ce matin.

« *Mon amour,*
Mon père nous avait refusé sa bénédiction pour le mariage, et mon frère la refusera lui aussi. Je suis déshérité, chassé de ma famille, mais je m'en moque. Partons tous les deux. Pour la ville, pour l'Amérique, pour n'importe où. Prenons la route et oublions cet horrible village et ses petits secrets, je t'en conjure, Martha... »

— Je… ça me gêne de continuer à vous lire ces lettres.

—Pourquoi? Il y a des passages cochons? fait Dib, un brin de curiosité dans le regard.

—J'aurais l'impression de commettre une faute, en vous les lisant à voix haute. Ce sont des lettres d'amour.

—Tu les as toutes lues? demande Lapsa. Est-ce que tu as appris quelque chose?

—Son amoureuse s'appelait Martha.

Raoul se gratte la tête.

—Il n'y a pas de Martha, au village.

Je range les lettres.

—J'ai demandé à mes parents: il y en avait une autrefois. C'était une domestique du manoir. D'après ma mère, elle me ressemblait un peu. C'est peut-être pour ça que Cingly m'avait choisie pour se marier.

—Attends! fait Lapsa. Je me souviens: Lune, ta mère nous avait parlé d'une Martha, je crois… Qu'est-ce qu'elle est devenue, déjà?

—Elle a disparu il y a quinze ans. Comme ça, du jour au lendemain. On l'a cherchée partout, mais on ne l'a jamais retrouvée.

—Quinze ans? répète Raoul. La génération des loups d'avant nous? Tu crois que l'un d'eux l'aurait…

Je l'interromps:

—Je ne sais pas si les loups ont tué cette Martha. Mais en tout cas, je crois que c'est la disparition de cette femme qui a rendu Cingly complètement fou. Et je crois qu'il s'est entraîné à la chasse pendant toutes ces années juste pour se venger des loups, en attendant leur retour.

— Quelque chose a mal tourné, il y a quinze ans…, marmonne Lapsa.

— Est-ce que tu aurais une idée de…

Raoul s'interrompt et se retourne :

— Bon Dieu, on ne s'entend plus parler ! Qu'est-ce que c'est que ce boucan ?

Pendant qu'on discutait à côté de la fontaine de l'angelot, une petite foule très agitée s'est formée sur la place du village, derrière nous. Au début, c'étaient seulement les braillards habituels de la taverne, les bûcherons, quelques paysans et les trois frères. Mais ils sont rejoints par un groupe de femmes qui battaient leur linge au lavoir et d'autres villageois sortent à leur tour de leurs maisons. Il y a même des gens des fermes voisines. Je reconnais la vieille folle, en haillons et avec les cheveux défaits, qui braille au centre de toute cette agitation.

— Alors, vous me croyez maintenant que Cingly est mort, hein ? Les loups tuent ! crie-t-elle en crispant les mains sur son cerceau. Et moi je les vois. Je les ai toujours vus. Je les ai même dessinés ! Venez dans ma cabane si vous ne me croyez pas.

Elle pointe du doigt le capitaine, qui recule d'un air effrayé. Puis le tavernier, qui se protège du bras comme si elle allait le frapper, et enfin l'Ancien, impassible sur son banc.

—J'en sais des choses, moi! Je sais tout!

Puis elle éclate d'un rire sinistre et se met à hurler, ses mains brandies vers le ciel:

—Du sang pour la lune rousse, il y avait du sang! Papa était par terre, et Maman dans l'escalier, il y avait du sang partout!

La vieille porte soudain la main à son cœur et fait une grimace de douleur. Puis, la respiration haletante, elle s'éloigne à petits pas dans un silence de mort.

—Finissons-en! hurle la grande Annette, une des commères du village, en brandissant une brosse et un gros battoir en bois.

—Y en a marre! Des années et des années que ça dure! renchérit Georges, son mari, un paysan tout petit à côté de sa femme et rouge de colère sous son chapeau de paille.

—Ouais! Ouais! crie le tavernier, en s'essuyant les mains sur sa blouse.

Le tavernier est toujours d'accord avec tout le monde.

—Qu'est-ce qui se passe? me chuchote Lapsa.

Les villageois se regardent les uns les autres, suspicieux. L'intervention de la vieille a jeté entre eux de la méfiance et de la haine, de vieilles rancœurs refont surface.

— À mort les loups! crie maintenant la grande Annette, qui s'est juchée à côté de nous, sur le rebord de la fontaine.

Le cri est repris sur toute la place, les gens lèvent le poing, ils agitent des fourches et des bâtons. Avec horreur, je vois mon propre père avec une serpe à la main, qui crie « À mort les loups », comme tous les autres. Et ma mère elle aussi, emportée par la fièvre de la foule, dont les yeux brûlent de colère.

— Mort aux loups! crie Dib à son tour en brandissant le poing.

Je lui mets un coup de coude dans les côtes. Il est fou ou quoi?

— Ben quoi, chuchote-t-il en haussant les épaules. Si on ne dit rien, on est suspects.

— On va les trouver, ces loups! crie mon père.

Bon Dieu, Papa, est-ce que tu sais de qui tu parles? Ça ne te viendrait pas à l'esprit que ta propre fille est peut-être concernée?

— Ouais, nous, on les trouvera! fait le mari d'Annette. Pas comme le capitaine et le garde champêtre qui sont des incapables!

— Et si c'étaient eux, les loups? s'écrie tout à coup Hélène, la femme du garde champêtre.

—Mais enfin, chérie… couine son mari à côté d'elle, tout déconfit.

—Ça c'est vrai! Depuis des années qu'ils sont là et qu'ils ne font rien contre les loups, dit un paysan excité. Et souvenez-vous, la vieille a d'abord pointé du doigt le capitaine!

—Le capitaine, c'est le capitaine! hurle Dib avec d'autres.

—Un peu de calme, voyons, fait l'intéressé avec un geste apaisant des deux mains; il n'en mène pas large, le vieux couillon. Vous n'allez pas prêter foi aux délires de cette pauvre femme, tout de même?

—Et pourquoi elle vous a pointé du doigt, hein? dit un bûcheron.

—Et si c'était une femme? lance soudain la grande Annette.

—Et si c'était la vieille folle elle-même? crie l'un des trois frères.

—Toi, le tavernier, fait Annette, t'en penses quoi?

Toutes les têtes se tournent vers lui et le malheureux roule des yeux effrayés en tous sens, blanc comme un linge, suant à grosses gouttes sous son tablier.

—Mo… Moi? Pourquoi vous me demandez ça, à moi?

—Parce que tu connais tout le monde, poursuit la grande Annette. Tu servais à boire à Cingly pas plus tard qu'hier, il t'a peut-être raconté des choses ?

— Ben, je ne sais pas. Il m'a dit qu'il allait dîner au manoir du baron…

— Le baron ! hurlent soudain dix villageois à la fois. C'est le baron !

— Forcément ! Il avait honte de son frère, Cingly-le-cinglé, alors il l'a tué !

— Bien sûr ! Et il voulait aussi se débarrasser de son ennemie, la mère Loisel !

— Pendons-le !

— Trouvons une corde !

— Tous à l'arbre aux pendus !

Mais un silence de mort se fait tout à coup et les regards convergent vers un point situé derrière nous : le baron se tient là, dans son complet veston impeccable, avec son chapeau haut-de-forme ; derrière lui, sa servante porte toujours à bout de bras une ombrelle au-dessus de sa tête pour le protéger du soleil.

— Mes chers amis…, commence-t-il, et sa voix résonne étonnamment fort sur la place, répercutée par les murs des maisons. Mes chers amis, notre village est en danger une fois de plus. Nous avons peur pour nos voisins, pour nos enfants.

Fascinés, les mêmes villageois qui voulaient le pendre à un arbre la minute d'avant boivent maintenant ses paroles, la bouche ouverte.

—Allons-nous nous laisser dévorer par ces monstres qui vivent parmi nous, et qui cachent leur nature démoniaque pour assassiner nos sœurs et nos frères, dès le soleil couché ?

—Non ! répondent en chœur des dizaines de voix.

—Notre village est frappé par une malédiction surnaturelle, qui nous vient de la nuit des temps. Il est victime de ces créatures démoniaques.

—Quelles créatures démoniaques ? proteste l'Ancien, essayant de se faire entendre. Les loups n'ont rien de démoniaque.

—Évidemment, fait le barbier, vous savez bien que ce ne sont que des gamins !

Quelques visages se tournent vers eux, puis, à ma grande consternation, vers notre petit groupe de quatre – Lapsa, Raoul, Dib et moi. Mais le baron reprend de sa voix puissante :

—Je respecte votre parole, l'Ancien. Mais vous vous trompez. Ces loups-garous cassent, volent, et maintenant, ils tuent ! Nous avons été trop cléments avec eux pendant des années. Oui, nous les avons laissés devenir plus féroces. Mais que nous apprend l'Histoire ? Notre village de Thiercelieux est-il faible ? A-t-il été balayé par ces horribles créatures ?

—Non ! répondent encore plus de voix.

—Non! répète le baron. Notre village est fort, il se relèvera de cette épreuve comme chaque fois! Et par le passé, comment nos ancêtres ont-ils lutté contre cette magie maléfique, souvenez-vous? Quelle solution radicale ont-ils adoptée pour survivre?

—Le bûcher! crie la grosse Annette.

—Le bûcher! reprennent toutes les voix de la place, à l'unisson, y compris celle de Dib, y compris celle de Raoul, la mienne et celle de Lapsa, du bout des lèvres.

Parce qu'à cet instant, on a trop peur d'être montrés du doigt et lapidés si on ne crie pas avec les autres.

—Trouvons qui est à l'origine de ces actes de sorcellerie, homme ou femme! fait le baron, le doigt pointé devant lui. Dressons ensemble un bûcher sur la place, pour y consumer ceux et celles qui attirent le malheur sur nous!

—Ma parole, marmonne Raoul. Il ne parle que de sorcellerie comme s'il visait quelqu'un... Lune, Lapsa, vous pensez à ce que je pense?

—Grand-Mère! s'écrie Lapsa, blanche comme un linge.

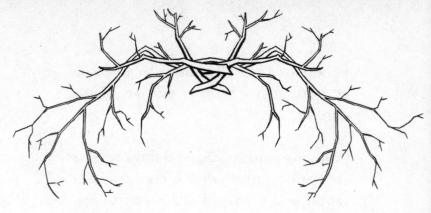

Mon amour,

Mon père nous avait refusé sa bénédiction pour le mariage, et mon frère la refusera lui aussi. Je suis déshérité, chassé de ma famille, mais je m'en moque. Partons tous les deux. Pour la ville, pour l'Amérique, pour n'importe où. Prenons la route et oublions cet horrible village et ses petits secrets, je t'en conjure, Martha...

Nous vivrons notre amour librement, je trouverai un travail et je t'offrirai une belle maison, nous aurons une grande chambre, de la place pour nos futurs enfants. Voudras-tu un jardin ? Nous paierons quelqu'un pour s'en occuper, bien sûr. Et tu auras une femme de chambre, qu'en penses-tu ? Cela t'amusera de ne plus être celle qui coiffe et de te laisser peigner par quelqu'un d'autre !

Donnons-nous rendez-vous dans les bois cette nuit. Sous l'arbre des pendus, je te retrouverai à minuit et nous partirons, enfin.

Je ferai tout pour toi.
Je t'aime tant, Martha.

Ton amour.

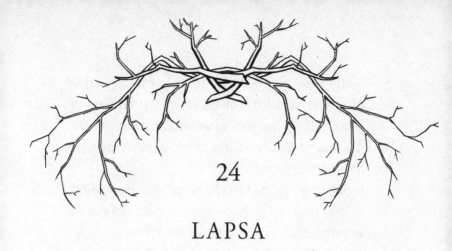

24

LAPSA

Mon sang ne fait qu'un tour en écoutant Raoul : ils vont s'en prendre à ma grand-mère. Dépassée par ce charivari qui bouleverse soudain le village, je sens le danger venir brusquement, comme une brûlure. Tout m'apparaît clairement ; depuis la lune rousse, les événements se précipitent et la tension monte, comme avant un orage. Le tonnerre gronde depuis l'attaque de la boulangerie, et voilà que les premiers éclairs risquent de s'abattre sur Grand-Mère. Absorbée par la recherche de mon père, je n'ai pas senti le vent tourner. Pourtant elle m'a prévenue : elle essayait de me protéger. Maintenant, c'est à mon tour de le faire.

Remplie d'une énergie nouvelle après la fatigue de la nuit passée, je murmure aux autres :

— Ils sont en train de devenir fous, on doit découvrir la vérité avant qu'ils s'en prennent de nouveau à des innocents. Si on trouve le quatrième loup, on sauve Arnoux, Pablo et ma grand-mère d'un coup !

Je dois avoir gagné une sacrée force de persuasion, parce que tous me suivent quand je m'éloigne de la fontaine de l'angelot pour retourner vers les bois. Même Dib ! Lorsque nous nous sommes suffisamment éloignés, j'expose mon plan :

— On va aller chez la vieille folle : elle sait des choses, elle a tout dessiné. Peut-être qu'elle a vu le loup-garou qui a attaqué Loisel, Cingly et cette Martha il y a quinze ans.

— Tu crois qu'elle va nous parler ? demande Raoul, sceptique.

— Elle dit elle-même qu'il suffit de regarder ses dessins, intervient Dib. Elle vient juste de quitter la place et, à l'allure où elle va, on y sera avant elle : on n'a pas besoin de lui faire cracher le morceau.

— On a déjà vu ses dessins, proteste Lune.

— Mais pas tous ! Il y en avait des dizaines, on peut sans doute trouver des indices sur ce quatrième loup, rétorqué-je.

— Et tu n'as pas peur de ce qu'on va trouver ? interroge mon amie, en se mordant les lèvres.

— De quoi tu parles ?

—Lapsa… ton père est revenu, on en a la preuve avec les cadeaux qu'il te fait…

—Oui. Et?

—Il rôde autour du village. Pourquoi ne vient-il pas te voir?

Je ne dis rien, parce que je retourne cette abominable question dans ma tête depuis cinq jours. Pourquoi mon père est-il revenu si ce n'est pas pour moi? Il doit avoir une bonne raison, il y en a forcément une. Et ce n'est pas parce qu'il est coupable, je refuse de le croire. La réponse, j'en suis persuadée, c'est la vieille folle qui l'a. Et on va l'obtenir.

—Bon, on y va? demande Dib, qui s'impatiente.

Nous courons vers la cabane dans la forêt.

—Qu'est-ce qu'on fait si elle arrive quand on y est? s'inquiète Lune.

—Quelqu'un doit faire le guet.

—Lapsa? Tu t'en occupes? me dit Dib.

—Non! Pourquoi ce serait moi? Je dois aller voir!

—On se relaie, répond Raoul. Tu guettes cinq minutes, et ensuite je viendrai te remplacer, d'accord?

Ils se regardent tous les trois, comme s'ils avaient quelque chose à me cacher. Je ne comprends pas; je veux protester, mais ils mettent déjà leurs masques de loups et entrent dans la cabane. Je dois attendre devant. Au bout de dix minutes, j'en ai marre. Tant pis pour le guet: je suis sur le point d'ouvrir la porte pour entrer à mon tour, mais j'entends soudain des bruits de pas sur le chemin. Voilà la vieille qui arrive déjà! Elle avance à petits pas, la tête baissée, puis semble percevoir ma présence. Elle relève la tête d'un coup et m'apostrophe:

— Han, fait-elle avec mépris, la petite-fille de la sorcière!

— Ne l'appelez pas comme ça, vieille peau!

— Je l'appelle bien comme je veux. Cette vipère se terre dans son trou alors que les loups-garous tuent autour d'elle. Elle les protège.

— Mais non, elle s'occupe de la mère Loisel qui a été blessée!

— Et la nuit? Qu'est-ce qu'elle fait la nuit avec l'Ancien? Ils montent leurs combines pour couvrir les traces des jeunes loups, voilà ce qu'ils font!

Je ne réponds pas, perturbée. J'ai bien remarqué que ma grand-mère s'était absentée deux soirs de suite. Le premier soir, c'était sans doute pour aller chercher un remède à la ville pour la mère Loisel, mais hier... peut-être était-elle avec l'Ancien, en effet?

— Tu n'as plus rien à dire, petite sotte?

— Qu'est-ce qui s'est passé avec mon père, il y a quinze ans?

— Tatata... tu crois que je vais te parler à toi? Tu ne serais pas une louve, toi aussi?

— Moi aussi? Qu'est-ce que vous voulez dire?

Elle me regarde avec défi et me contourne sans un mot, se dirigeant d'un pas plus leste vers sa cabane. Les autres ne sont pas sortis! Je la retiens par le bras à quelques mètres de la porte.

—Ne partez pas comme ça!

—Lâche-moi, vilaine bête! Tu veux savoir, hein?

—Oui!

Ça y est, elle va parler!

—Éloi a tué ses propres parents parce qu'ils le battaient. Il a supporté ça toute son enfance, mais quand il a rencontré Flore, il a commencé à se rebeller. C'étaient des loups tous les deux. Puis il est parti, abandonnant ta mère enceinte. Elle est morte de chagrin, ta mère!

—Non! Elle est morte en me mettant au monde!

—Et pourquoi était-elle si faible, hein? Une fille de seize ans, dans la fleur de l'âge? Elle ne mangeait presque plus depuis des mois, elle était sans force, il lui avait volé son énergie! Mais c'est bien fait pour elle. Crevure de louve!

J'ai envie de la gifler. Mais je dois la faire cracher avant.

—Mais comment vous pouvez être sûre que c'est mon père qui a brûlé la ferme? Ils n'avaient pas de masques?

—Et qui avait intérêt à brûler la ferme des frênes si c'est pas ton père, hein?

Soudain, la porte vole et claque contre le mur. Les trois loups-garous sortent en hurlant de la cabane : ils sont masqués, ils ont leurs griffes et poussent des rugissements. Je les reconnais à leur silhouette respective, mais ils font vraiment peur comme ça ! La vieille crie, effrayée, et ils lui tournent autour, me repoussant sur le côté.

—On a la preuve qu'il y avait un troisième loup, me dit Lune. Va-t'en, Lapsa, va vite rejoindre ta grand-mère, on arrive !

Ils font la sarabande autour de la vieille qui est figée dans la terreur. Lune me tend un dessin quand elle passe près de moi. Je le prends, j'y jette un œil. Il représente un combat entre deux loups : voilà ma preuve. Même si ce n'est pas Cingly, il y avait bien un troisième loup à l'époque de mes parents. Et je suis maintenant sûre que mon père l'a combattu. Je ne sais toujours pas pourquoi, et je ne sais pas non plus pour quelle raison il s'est enfui. Mais, en tout cas, ça ne peut être que ce mystérieux inconnu qui est revenu agresser la mère Loisel et tuer Cingly. Je ne peux pas croire que ce soit mon père. Je n'attends pas plus : je pars en courant.

25

LUNE

Dans la forêt, on regarde rapidement les quelques dessins volés à la vieille. Du sang, des crocs, des griffes! La pauvre vieille a vraiment l'esprit torturé. Mais finalement, seul celui des deux loups en train de se battre présentait un intérêt, et je l'ai donné Lapsa.

En arrivant au village, je fais signe à Raoul et Dib de s'arrêter à l'orée du bois. Sous le soleil écrasant de fin d'après-midi, la place centrale est déserte, les volets clos. Le silence est revenu, mais c'est un silence lourd et inquiétant. À cette période de l'année, les paysans devraient être aux champs à déchaumer et labourer, les femmes à s'occuper des bêtes et les enfants à jouer à la rivière…

—Où sont-ils tous passés? souffle Dib.

Je réponds dans un murmure :

— Méfiez-vous, ils sont tous là. Mais ils se cachent dans leurs maisons et ils guettent derrière leurs fenêtres.

À travers le cuir du sac, je tâte nos gueules et nos griffes de loup, qui me manquent déjà. Je me sens nue et vulnérable sans elles, et faible comme un nouveau-né.

— Bon, je résume, fait Raoul : on n'a toujours pas de preuve pour innocenter Arnoux, le ou la coupable court toujours et on ne sait pas qui c'est.

— On sait que c'est sûrement un loup ou une louve d'autrefois, ajoute Dib.

Cette idée me fait horreur. Je réponds sans trop y croire :

— Et si le tueur n'était pas un loup ? S'il ne l'avait jamais été ?

Mais le dessin de la vieille folle me revient en mémoire : deux loups dressés l'un contre l'autre dans un combat à mort… Comment les loups du passé avaient-ils pu en arriver là ? Comment avaient-ils pu oublier leur serment de s'entraider comme des frères ?

Dib pointe soudain le doigt vers le village. Une porte s'ouvre, puis une deuxième, puis une troisième. Les villageois sortent de leurs maisons en silence, armés de fourches, de couteaux, de haches, et se rassemblent peu à peu sur la place jusqu'à former une foule compacte. Pendant un moment, on les observe sans un mot. Les hommes se dirigent vers la scierie et reviennent en portant des planches à demi équarries, des troncs et des rondins, pendant que les femmes commencent à entasser des ballots de paille au centre de la place.

—Qu'est-ce qu'ils font ? murmure Raoul d'une voix blanche.

Mais on sait tous ce qu'ils font : ils montent un bûcher. Pour Arnoux, peut-être. Pour Pablo. Ou pour nous. Pour tous ceux qu'ils seront assez fous pour y jeter.

—On ne va pas rester là à ne rien faire ! dis-je en essuyant du coude la sueur de mon visage. Il faut trouver le coupable. Et si c'est bien un loup d'autrefois, alors il faut aller voir ceux qui connaissent le passé.

—Les anciens ? demande Raoul. Tu crois qu'ils nous répondront ?

—La grand-mère de Lapsa en sait plus qu'elle ne veut bien le dire. Cette fois, elle devra parler. C'est une question de vie ou de mort.

On fait un grand détour pour contourner le village et arriver par l'arrière de la maison, côté jardin, en s'arrêtant plusieurs fois pour se cacher. Sous un romarin, je dissimule le sac de cuir qui contient nos masques et Raoul frappe discrètement à la porte. À notre grande surprise, c'est l'Ancien qui nous ouvre.

—Entrez, entrez, chuchote le vieux bonhomme en scrutant le jardin pour vérifier que personne ne nous a vus. On vous attendait.

À l'intérieur, il fait si sombre qu'après le grand soleil du dehors, il nous faut un moment pour y voir clair. Lapsa et sa grand-mère se tiennent debout devant l'étagère remplie de bocaux et d'épices. Et, assise sur une chaise, les épaules enveloppées dans un châle de laine, la mère Loisel nous toise d'un regard intense – affaiblie et très pâle, mais bien éveillée. Dib ouvre de grands yeux et murmure pour lui-même :

—Arnoux, tu ne seras pas guillotiné…

—Madame Loisel ! s'écrie Raoul. Ça fait plaisir de vous revoir vivante ! Je veux dire… en bonne santé… Enfin, pas vraiment en bonne santé, mais…

Je viens à son secours avant qu'il ne s'empêtre davantage :

—Ce qu'il veut dire, madame, c'est qu'on est contents de vous revoir. Le coup de couteau, ce n'était pas nous. On n'a jamais frappé personne.

—Je le sais bien, les enfants, répond-elle d'une voix légèrement enrouée. Je sais aussi que, sans vous, je serais morte. Vous avez fait honneur aux loups cette nuit-là, Raoul et toi.

Honneur *aux loups* ? Alors la mère Loisel ne les déteste pas, elle non plus ?

— Nous avons été loups, nous aussi, il y a bien longtemps, renchérit l'Ancien comme s'il lisait dans mes pensées.

On les regarde tous les trois en écarquillant les yeux. L'Ancien, la mère Loisel, la vieille apothicaire.

— Vous voulez dire que…

Pendant un instant, j'essaye de les imaginer avec des masques et des griffes, bondissant sur les toits, s'introduisant dans les maisons endormies. Mais ils sont si vieux et si respectables, aujourd'hui, que je secoue la tête sans y parvenir.

— Il y a trente ans, dit la grand-mère de Lapsa, à la nuit de la lune rousse, c'est nous que le loup noir a choisis et menés jusqu'au coffre aux masques.

— Il choisit toujours des jeunes gens talentueux…, glousse l'Ancien.

— … des jeunes gens en révolte et différents des autres, explique la mère Loisel, qui ont soif de justice, qui ont le courage de se battre. Et une fois les masques remisés dans le coffre, ces jeunes gens apportent ensuite toute leur énergie à la communauté ; ils deviennent presque toujours les membres les plus éminents du village.

— Je le savais ! Je le savais ! s'écrie Lapsa, pleine d'admiration pour sa grand-mère. Tu as été louve, toi aussi !

La vieille femme se tourne vers sa petite-fille et l'enveloppe d'un regard plein de tendresse.

—J'ai toujours pensé que tu en serais une, toi aussi, ma Lapsa… Mais je sous-estimais le vide que laissait en toi la mort de tes parents. Comment aurais-tu pu grandir sans savoir la vérité sur tes origines? C'est ma faute, j'aurais dû tout te dire depuis bien longtemps. Mais… c'était si difficile pour moi…

Une larme coule sur sa joue et ses lèvres se mettent à trembler.

—Laisse, Delphine, nous allons parler pour toi, fait l'Ancien en posant la main sur son bras d'un geste affectueux.

Puis il se tourne vers Lapsa:

— Quinze ans après nous, il y a eu une nouvelle génération de loups. Ta mère et ton père ont porté le masque à leur tour. Ils étaient amoureux l'un de l'autre, mais du côté d'Éloi…

—Quoi? Qu'y avait-il, du côté de mon père? demande Lapsa.

—Éloi avait été un enfant battu, ses parents étaient brutaux et rendus pires encore par l'alcool. Parfois, l'enfance laisse des blessures qui ne se referment pas… Éloi était un jeune homme courageux, mais il avait contre ses parents des accès de colère terribles qui…

—C'était un petit salaud! crie soudain la grand-mère de Lapsa en serrant les poings de rage.

Puis, quand elle voit Lapsa blêmir, elle met la main devant sa bouche et tente de se rattraper:

—Il… Il n'avait pas eu une vie facile, bien sûr. Il était très intelligent et d'une beauté affolante. Oh oui, il nous a tous charmés et nous l'avons pris pour un ange, à l'époque. Je l'aimais énormément et j'étais fière que Flore ait jeté son dévolu sur un tel garçon. Hélas, si j'avais su que ce jeune homme allait…

—Mon père n'a rien fait de mal! hurle Lapsa, lui coupant la parole.

—Je sais, fait l'Ancien, apaisant. C'est difficile à entendre pour toi, mais ta grand-mère pleure encore la mort de ta mère, elle aussi, tu sais… Une nuit, les loups ont décidé de s'en prendre aux parents d'Éloi, pour les punir d'avoir battu leur fils pendant des années. Mais alors qu'ils auraient seulement dû brûler leur grange des frênes, c'est toute la ferme qui a pris feu. Et ses deux parents, qui étaient ivres, ont péri dans l'incendie…

— … Après cela, on n'a plus jamais revu Éloi, poursuit la grand-mère. Il s'est enfui du village. Oh, ma petite Flore en a été malade de chagrin. Jusqu'à son dernier souffle, elle a cru qu'il reviendrait pour elle et elle a refusé de reconnaître l'évidence: Lapsa, c'est ton père qui a mis le feu à la ferme. Il l'a abandonnée par peur de la prison. C'était un lâche !

— Il risquait la guillotine s'il avait été reconnu coupable d'assassinat, ajoute l'Ancien.

J'interviens aussitôt :

— Mais qui était le troisième loup ? Ils vont toujours par trois !

— Tu as raison, me répond la mère Loisel, sortant de son silence. Ils étaient trois. Vous avez vu le dessin de Marie, n'est-ce pas ?

Marie, la vieille folle. Plus âgée encore que ces trois anciens loups.

— Les deux loups qui se battaient sous l'arbre…, dis-je dans un murmure.

— La petite Martha était domestique au château, poursuit l'Ancien dans un soupir. Elle était amoureuse de Cingly, mais le vieux baron avait refusé leur union et déshérité son fils pour le punir de cette mésalliance. Martha avait toutes les raisons d'être révoltée et d'être appelée par le loup noir.

Alors on ne s'était pas trompés de beaucoup : le troisième loup, ce n'était pas Cingly qui s'était révolté par amour pour Martha. C'était Martha qui s'était révoltée par amour pour Cingly…

— La nuit de l'incendie, reprend l'Ancien, Martha a disparu. On a cherché son corps dans les bois, on a sondé la rivière, on a même retourné la terre des champs proches de la forêt. Tout ce qu'on a retrouvé sous l'arbre du pendu, c'est un masque de loup déchiré et ensanglanté, à l'endroit exact où la vieille folle avait vu le combat des loups. Le pauvre Cingly en est devenu fou de rage, il ne s'en est jamais remis…

Les pièces du puzzle s'emboîtent peu à peu dans ma tête.

— Donc… ce serait Éloi qui aurait mis le feu à la ferme des frênes? Mais pourquoi aurait-il tué Martha?

— Les loups se connaissent entre eux, répond l'Ancien. Ta mère n'aurait jamais dénoncé Éloi car elle était amoureuse de lui, mais Martha, si. Elle le mettait en danger.

— Peut-être que…, commence Lapsa d'une voix tremblante. Peut-être que c'est l'inverse. Martha aurait mis le feu à la ferme et elle se serait battue avec mon père parce qu'il voulait la dénoncer?

Son joli visage affiche une tristesse si poignante que personne n'ose lui répondre que sa théorie n'a ni queue ni tête.

— Quand Hermeline a été frappée à la scierie, fait la grand-mère de Lapsa d'une voix tremblante en regardant sa petite-fille, j'ai su qu'Éloi était revenu.

Je demande naïvement:

— Mais… mais pourquoi?

—À cause de la lune rousse, me répond la mère Loisel. J'ignore où Éloi a vécu pendant quinze ans, mais quand elle a réapparu dans le ciel, elle l'a de nouveau attiré jusqu'à Thiercelieux. Pendant que j'étais inconsciente, j'ai eu une vision de la lune rappelant à elle son enfant du passé…

—Tes dons de voyance, Hermeline, ont bien failli causer ta perte, ajoute l'Ancien. Éloi les connaissait fort bien : tu l'avais déjà démasqué il y a quinze ans ! Il était beaucoup trop risqué pour lui de te laisser en vie.

—Et la nuit où vous avez attaqué la cabane de Cingly, fait la mère Loisel, il ne pouvait pas laisser ce chasseur fou tirer sur Lapsa, sa fille, qui se trouvait avec les loups. Il est probablement entré dans la cabane au moment au Dib s'est enfui, et il a tué Cingly.

Raoul ouvre les mains en signe d'incompréhension.

—Mais alors… Qu'est-ce qu'il veut ?

—C'est vrai, renchérit Dib. C'est quoi, son but ?

—Être loup n'est qu'un passage, mes enfants, répond la grand-mère de Lapsa, cela ne dure que quelques jours. Il vient toujours un moment où l'on cesse les attaques et où l'on devient pleinement adulte. Le drame d'Éloi, c'est qu'il n'a jamais reposé le masque. Il erre depuis quinze ans entre deux mondes, torturé par l'appel de la lune, coupé de ses frères loups d'autrefois et dévoré par la culpabilité… Il a peut-être cru qu'il pouvait s'enfuir, mais personne n'échappe à la lune rousse. Il ne pourra jamais retrouver sa place à Thiercelieux. Mais il ne pourra jamais quitter le village non plus. Désormais, il est condamné à vivre seul, caché dans les bois, à souffrir comme un damné et à répandre le sang, nuit après nuit.

— Je ne vous crois pas, c'est impossible! Mon père ne peut pas être cet homme-là! hurle Lapsa, refusant l'évidence.

Elle qui voulait connaître le secret de ses origines, elle refuse maintenant de l'entendre. Je comprends enfin pourquoi sa grand-mère refusait de lui parler… Je pose mes deux mains sur ses épaules.

— Lapsa, je sais que c'est dur à entendre. Mais toi, tu n'y es pour rien, tu n'es pas lui. Tout le monde t'aime, ici, on sait que tu ne ferais jamais de mal à personne.

Sa gifle me cueille par surprise, d'une telle violence que je sens quelque chose craquer dans ma mâchoire.

— Toi, crie-t-elle en me pointant du doigt, si tu étais vraiment mon amie, tu refuserais de croire ce qu'ils disent.

Je ne réplique pas à sa gifle. Au lieu de ça, je lui jette un regard suppliant.

— Peut-être que… Peut-être qu'une vraie amie ne doit pas te laisser t'enfermer dans tes illusions et t'aider à accepter la vérité?

Des larmes chaudes me brouillent la vue et dévalent mes joues. Je crois que c'est la seule chose qui la retient de me frapper une seconde fois. Elle tourne les talons, ouvre la porte du jardin en grand et la claque derrière elle.

—Ça va, Lune? me demande l'Ancien.

Du sang coule de ma bouche, j'ai la lèvre fendue en deux et je pleure pour mon amie. Raoul, écarlate, continue de regarder fixement la porte du jardin comme si Lapsa allait réapparaître.

Je suis tellement retournée que je n'entends même pas les villageois à l'autre porte, celle de la rue, jusqu'à ce qu'ils l'ouvrent en grand et qu'ils se ruent à l'intérieur avec leurs bâtons, leurs torches et leurs serpes tranchantes.

—À mort la sorcière! hurle la servante du baron, reprise par cent voix derrière elle.

Nous sommes bousculés vers le fond de la pièce par une foule déchaînée. Dix, vingt mains empoignent la grand-mère de Lapsa. Elle a beau se débattre, ils la traînent hors de la maison vers le bûcher déjà presque achevé sur la place du village. Là, le baron l'attend dans son costume impeccable, avec son chapeau haut de forme et sa canne au pommeau d'argent.

26

LAPSA

MA MAIN ME BRÛLE. COMME SI LA JOUE DE MON amie m'avait marquée au fer, comme si mes doigts avaient eux-mêmes laissé leur empreinte sur sa peau.

Dans mes oreilles, les mots de Lune bourdonnent comme des abeilles.

« Peut-être qu'une vraie amie ne doit pas te laisser t'enfermer dans tes illusions et t'aider à accepter la vérité ? »

Mon cœur... Il n'entend plus que ce mot « vérité ». Quelle vérité peut-on accepter quand on a grandi toute sa vie dans le mensonge ? Quand on a cru pendant quatorze ans que son père était mort d'un accident, qu'on se l'est toujours imaginé comme quelqu'un de gentil, d'aimable ?

J'ai toujours cru que ma mère était morte à cause de moi. Que je devais faire de mon mieux pour ne pas gâcher la vie qu'elle m'avait donnée au prix de la sienne.

Quand je pensais à mes parents, je les imaginais fous amoureux et j'étais triste que ce bonheur ait été brisé par la malchance. Et je rêvais, je rêvais de la vie qu'on aurait eue tous les trois. Mais en fait, mon père est un meurtrier, il nous a abandonnées, et ma mère ne m'aimait pas assez pour continuer à vivre sans lui. Pour continuer pour moi. Je ne suis rien.

Je marche, je marche sans but dans la forêt. J'arrive à la pierre où je jouais encore la semaine dernière, comme une gamine qui ne connaît rien à la vie.

Je n'ai plus de souffle, je pleure, je me suis égratigné les jambes, mais je ne ressens pas vraiment la douleur. C'est comme si j'étais hors de moi-même. Je me regarde, pauvre petite fille orpheline, fille du malheur, prostrée sur ce rocher froid et rugueux. Et soudain, je me fais honte.

Non. Je ne suis pas rien. Non, mon père n'est pas une ordure, un meurtrier, ma mère n'était pas amoureuse d'un assassin. Je ne peux pas le croire : je sors le médaillon de sous ma robe et je le serre dans mon poing. Il me transmet la force qui me manque ; mon père est revenu pour moi, il m'aime, il me l'a prouvé et je dois démontrer maintenant qu'il est innocent.

Prise d'une idée subite, je sors le dessin de la vieille que m'a donné Lune et je le regarde attentivement. Soudain, je trouve ma preuve : l'hypothèse de la mère Loisel est fausse, ce n'est pas Martha qui est représentée. Les deux loups-garous qui se battent ont les cheveux courts. Ce sont tous les deux des hommes.

J'hésite à retourner au village pour montrer le dessin à mes amis, à Lune surtout. Mais cela ne suffira pas, ils ne me croiront pas. Elle ne me croit plus. C'est comme un creux dans mon cœur. Je dois lui prouver la vérité. Je sais où aller : je vais trouver Martin, lui me fait confiance. Avec son aide, je réussirai peut-être à convaincre les autres.

Je cours vers le village. Je cherche des yeux ma renarde dans les buissons, mais elle n'est pas là ce soir. Qu'importe : quand j'arrive dans le jardin de Martin, la lune éclaire les lieux de toute sa clarté. Elle est bien moins pleine et rousse que dimanche dernier, mais sa lumière est suffisante pour que j'évite de trébucher.

Une main s'abat alors sur mon épaule et je pousse un cri.

— Calme-toi, c'est moi ! fait une voix derrière moi.

Mon sang se fige. Mon père ?

Je me retourne lentement et découvre un homme dont le visage est caché par l'ombre de sa cape.

— Tu me reconnais ? demande-t-il.

— Tu es… mon père ?

Il ne dit rien d'abord et, soudain, se met à rire.

— Ton père ? Non, Lapsa !

Il retire alors sa cape et je le reconnais enfin : c'est Martin. Le barbier. Mon voisin. Évidemment. Quelle idiote.

— Comment as-tu su que j'étais là ?

— Je t'ai entendue venir… tout le monde s'inquiète pour toi, me répond Martin. Et je crois que tu cherches des réponses que je peux te donner.

— C'est Grand-Mère qui t'en a parlé ?

— Bien entendu, qui d'autre ? Regarde-toi, ma pauvre petite, tu es tout égratignée, fait-il en grimaçant.

La lune est sortie de ses nuages, et je vois que je suis couverte d'éraflures jusque sur les bras. Lui qui n'aime pas voir le sang couler, le pauvre !

— Viens, on entre, je vais te préparer un chocolat chaud comme tu l'aimes.

Je me laisse guider, portée par le barbier qui me serre contre lui. Soudain, je m'étonne d'entendre des cris et même des hurlements sur la place.

— Qu'est-ce que c'est ?

— Oh, les villageois ont dû boire plus que de raison !

Je ne parviens pas à deviner ce que crient les soûlards, mais ils ont l'air d'être très nombreux.

La lumière brille encore à l'intérieur de ma maison et j'ai une très grosse envie de rentrer me réfugier dans le giron de Grand-Mère pour oublier tout ça. Et puis je me rappelle qu'elle n'a cessé de me mentir depuis ma naissance et je renonce.

Nous entrons chez Martin. Tout est sombre, les ombres grimacent sur les murs. Mais d'où viennent ces lueurs ? Le barbier allume une lampe à huile, et je retrouve les lieux tels que je les connais.

— Va t'allonger dans ma chambre, Lapsa, je prépare ta boisson.

Je n'ai jamais eu l'occasion de voir la chambre de Martin, alors je suis assez curieuse. Je pousse la porte doucement.

— Mais tu n'y vois rien ! fait-il en me poussant un peu pour passer.

Il me tend une seconde lampe et un châle d'une belle couleur rouge.

— Tiens, mets ça pour ne pas prendre froid.

Je frissonne, la fenêtre est ouverte quoique les volets soient fermés.

— Installe-toi sur mon lit.

Je me retourne pour trouver un joli lit en bois. Étroit, il est surmonté de nombreux dessins, des portraits. Je m'approche. Ce visage… c'est…

Je reconnais ma mère quand, soudain, Martin sort de la pièce, claque la porte et la ferme à clef derrière lui.

Les dessins! Ce sont des pages arrachées à la fin du carnet de ma mère, elles ont exactement la même taille. C'est lui, c'est lui qui m'a offert ce carnet! Ce n'était pas mon père! Est-ce que le médaillon vient aussi de lui? Je me précipite vers la porte et tambourine dessus en criant :

—Martin? Martin!

Je hurle et la porte s'ouvre enfin, mais ce n'est plus Martin, c'est un homme masqué qui apparaît devant moi. Ce masque ressemble à ceux de mes amis, mais son pelage noir est mêlé de poils blancs, tout comme celui de ses gants griffus.

C'est un loup-garou.

C'était lui le troisième loup de l'époque de mes parents. Pas Martha.

Tout de suite, je recolle les morceaux du puzzle dans ma tête.

—Mais… tu n'étais pas au village quand la ferme des frênes a brûlé et quand mon père a disparu! Tu étais parti depuis des mois étudier à la ville!

—C'est ce que tout le monde croit, mais j'étais revenu en cachette. Je vivais dans les bois. Je ne supportais pas la ville et, surtout, je ne voulais pas être chirurgien. J'avais peur du sang, je te l'ai dit! Mais mon père… il m'aurait battu s'il l'avait su. Tes parents m'apportaient à manger, je me cachais dans une cabane, près de la ferme des frênes. On était amis avec Éloi avant tout ça. C'est moi qui lui ai présenté Flore. On passait notre temps tous les trois.

En l'écoutant, je réalise peu à peu tout ce que sa présence signifie. Et je commence à avoir très peur.

—Si tu es le troisième loup, alors j'avais raison, ce n'était pas Martha. Mais alors… les deux loups qui se battaient sous l'arbre des pendus, c'était mon père et toi? Tu… Tu l'as tué, c'est ça? demandé-je d'une voix blanche, en essayant de ne pas l'énerver.

—Oui.

Sa réponse est comme un coup de poignard.

Mon père est mort.

Il y a quinze ans.

Je l'ai cherché en vain. Je ne le rencontrerai jamais.

Une énorme vague de désespoir me noie, mes yeux débordent de larmes, ma bouche crie:

—Pourquoi? Pour quoi?

Martin me regarde, écarquille les yeux et répond, comme s'il s'agissait d'une évidence:

—Je l'ai tué parce qu'il allait faire le malheur de ta mère, parce qu'il ne pouvait pas l'épouser, lui offrir une maison, un toit pour son bébé. Il ne pouvait pas prendre soin d'elle et… il m'accusait. Tu comprends? Il m'accusait d'avoir brûlé la ferme! Mais c'était lui, c'était son idée! Je n'ai fait que lui obéir, je n'ai fait que finir le travail. Ce couard, il voulait s'arrêter à la grange. Moi, je savais qu'on devait les brûler, ces salauds. On s'était dit tous les deux : je t'aide pour tes parents et tu m'aides pour les miens. Mais il s'est dégonflé et j'ai compris qu'il ne ferait rien contre mon père non plus. Il avait trahi le serment !

Martin me crie dessus à présent, il postillonne, je vois ses yeux luire de fureur derrière le masque. J'ai envie de partir, de m'enfuir, mais il me tient par le bras et je ne peux pas bouger. Je voudrais appeler au secours et je me rends compte que ça ne sert à rien : il y a tellement de bruit sur la place qu'on ne m'entendra pas. Je suis terrorisée, je ne peux faire qu'une chose, le faire parler, encore !

— Et Martha, l'amoureuse de Cingly ? Pourquoi a-t-elle disparu ?

— Parce qu'elle est morte, bien sûr : quand je me suis battu avec ton père sous l'arbre des pendus et que je l'ai tué, j'ai retiré mon masque et je l'ai vue qui était là, qui me regardait. Je ne sais pas ce qu'elle faisait ici cette nuit-là, mais elle allait me dénoncer. Je ne pouvais pas faire autrement que de la tuer elle aussi.

Pauvre Martha ! Dans sa lettre, Cingly lui avait donné rendez-vous sous l'arbre des pendus. Ils devaient s'enfuir tous les deux…

— Mais… et ta peur du sang ? dis-je, terrifiée.

— Le masque me rend plus fort. Je deviens un autre homme quand je le porte.

—Et pourquoi t'attaquer de nouveau aux gens, quinze ans après?

—C'est la lune! Elle m'a appelé. Alors j'ai ressorti le masque. Il avait blanchi, tu vois, mais je suis encore puissant. Plus puissant même. J'ai écouté la mère Loisel chez toi, quand elle discutait avec ta grand-mère. Elle aussi, elle allait comprendre, elle m'aurait empêché de te sauver.

—Tu as fait accuser Arnoux!

—Arnoux est mauvais, il te regardait d'un air sale.

—Et Cingly? C'était toi aussi?

—Il vous a tiré dessus. Heureusement que j'étais là, à épier les loups, sinon, il aurait pu te tuer! Je l'ai eu quand il est descendu de sa fichue cabane en flammes! Il était en rage, il voulait vous poursuivre. Des bêtes, voilà ce qu'ils sont tous!

Alors qu'il crie, qu'il explique, je vois toute sa folie. Je tente de me dégager, mais il serre mon bras encore plus fort jusqu'à me faire mal. Et je ne comprends toujours pas…

—Mais pourquoi, pourquoi ces cadeaux? Le médaillon, les dessins?

—Je voulais te faire plaisir, j'avais envie que tu sois heureuse, ma chère, ma tendre Lapsa. Tu es si triste, tu es si belle, jeune et innocente! Je devais te sauver avant que tu ne deviennes comme elle. La lune rousse, elle risquait de te transformer. Flore… elle avait changé après la lune rousse, elle ne voulait plus me regarder, elle disait que j'avais tué les parents d'Éloi. Elle ne voyait pas que tout était sa faute, à lui.

—Je ne suis pas devenue une louve…

—Mais tu traînes avec eux, tu aurais fini comme eux! Tu ne comprends pas? Ce village est maudit! Nous allons partir ensemble, nous enfuir de Thiercelieux, tu seras heureuse avec moi. Tu les entends dehors? Ils font un feu, un feu de sauvages, ils vont brûler la sorcière… Tu entends comme ils sont, ces barbares?

Non, pas Grand-Mère! Je dois partir, m'enfuir; je me débats de toutes mes forces, j'essaye de le mordre, de le griffer.

—Viens avec moi, Lapsa, allons à la ville, on sera heureux toi et moi, insiste-t-il encore.

—Non! Non, tu es un meurtrier!

À ce mot il me lâche enfin; je dégage mon bras d'un geste brusque et tente de m'échapper, mais sa main libre griffue se lève et me frappe avec une force terrible. La douleur est atroce, j'ai une dernière pensée pour Lune que je n'aurais jamais dû gifler et je me sens partir, je tombe.

27

LUNE

La cuisine de la vieille Delphine est envahie par une masse confuse de visages en colère, de mains et de corps qui s'écrasent et se bousculent. Les villageois en furie renversent les chaises, les étagères, les bocaux en grès. Et quand ils refluent peu à peu vers la place, emmenant la sorcière et ses deux amis, ils laissent derrière eux une pièce saccagée, au sol couvert de graines, de farine et d'éclats tranchants de bocaux fracassés. Dib, Raoul et moi, on se regarde comme les survivants d'un ouragan, qui se demandent par quel miracle ils en ont réchappé.

Je tâte ma lèvre ensanglantée encore brûlante de la gifle de Lapsa. Est-ce qu'elle est au courant pour le bûcher et la menace qui pèse sur sa grand-mère ? Ce n'est même pas sûr. Elle a raison, je l'ai abandonnée.

Je ne l'ai pas crue. Qui sait où elle est, maintenant, et ce qu'elle fait? Je suis une traîtresse, je n'ai pas soutenu mon amie. Je ne pourrai jamais réparer ce que j'ai dit et le mal que je lui ai fait. Mais il y a encore une chose que je peux faire pour elle: je peux essayer de sauver sa grand-mère.

C'est Dib qui reprend ses esprits le premier en me secouant par l'épaule.

—Lune? Eh, Lune, qu'est-ce qu'on fait?

—Venez…

Ils m'obéissent sans la moindre hésitation. Je crois qu'ils sont tellement perdus que ça les rassure de me voir prendre les choses en main.

—Alors, c'est quoi, le plan? me demande Raoul, plein d'espoir.

—On va remettre nos masques. On est des loups, non?

—Ouais! fait Dib en serrant le poing. On est des loups!

Dans le jardin, sous le buisson de romarin, je retrouve le vieux sac de cuir et j'enfile mon masque avec soulagement. Aussitôt, la nuit devient plus claire et les odeurs des plantes médicinales, autour de moi, infiniment plus fortes.

—On va sur la place et on leur fonce dessus comme ça, sous forme de loups? fait Dib.

Je suis sûr qu'il le ferait, si je le lui demandais.

— On se ferait tailler en pièces, Dib.

— Alors qu'est-ce que tu proposes ? dit Raoul.

Je baisse la tête.

— On va se dénoncer. Nous, les trois loups. C'est la seule chose qui puisse encore sauver la vieille Delphine.

Ils me regardent tous les deux comme si un crapaud était sorti de ma bouche.

— Ils vont nous massacrer ! glapit Dib.

— Il a raison, fait Raoul, tu as vu dans quel état ils sont ? C'est nous qu'ils vont mettre sur leur bûcher !

— Et alors ? Vous voyez une autre solution ?

— On pourrait aller jusqu'à Montolivet, lance Dib, ce n'est pas si loin. On libérerait Arnoux de sa prison.

— Parce que ça va sauver la vieille Delphine, peut-être ? crie Raoul.

Je m'apprête à répondre quand, par-dessus les voix des villageois sur la place, un bruit extrêmement ténu me fait tendre mon oreille de loup. Est-ce que j'ai bien entendu ? Est-ce que je me suis trompée ?

— On ne peut plus rien faire pour la vieille sorcière, de toute faç..., commence Dib, mais je lui pose une main sur le bras pour l'arrêter.

— Taisez-vous. Mettez vos masques et dites-moi si vous entendez quelque chose.

Un peu surpris, ils se changent en loup et tendent l'oreille, tournant la tête dans toutes les directions.

—À part le boucan des villageois sur la place, dit Raoul en haussant les épaules, je n'entends r…

—Chut! Là! ça a recommencé! Tu as entendu, toi, Dib?

Il fait «non» de la tête et reprend, agacé:

—Moi je pense qu'à nous trois, ce serait facile d'attaquer les gardiens et de forcer la porte de la prison d'Arn…

Je l'interromps d'un cri:

—C'est Lapsa! Elle appelle au secours, là, tout près!

Ils me regardent, sceptiques. Mais je l'ai entendue clairement: une voix angoissée, désespérée, et qui m'appelait, moi. La voix claire de l'amie avec laquelle j'ai conclu un pacte devant la fontaine de l'angelot.

Comme un fauve en chasse, je me mets à flairer les herbes et les cailloux du jardin.

—Euh, on peut savoir ce que tu fais? me demande Raoul.

L'odeur de Lapsa est aussi distincte qu'une ligne tracée sur le sol: elle est passée par ici des centaines de fois, mais, à certains endroits, la trace est plus fraîche et plus nette. Elle a fait quelques pas jusqu'à la ruelle, tout à l'heure, et elle est sortie du jardin.

—Venez, elle est partie par là.

Ils me suivent sans protester, un peu gênés de me voir le nez au sol et les genoux sur les cailloux, rampant presque pour ne pas perdre une miette de cette odeur familière qui s'estompe peu à peu. Sans même lever la tête, j'avance lentement dans la ruelle, tourne, perds l'odeur mêlée à cent autres, puis la retrouve, et finis par me cogner à une porte en bois.

—Chez le barbier ? fait Dib, levant un sourcil. Tu crois qu'elle est là ?

—Elle est dans cette maison. Et elle est en danger.

La porte est fermée. Heureusement, avec cette chaleur, le volet d'une fenêtre est entrouvert. Je le fais pivoter vers moi et passe la tête à l'intérieur. C'est une petite pièce sombre.

—Qu'est-ce que tu fais, Lune ? demande Raoul, un peu inquiet. Tu vas vraiment entrer chez lui ?

—On y va tous.

La pièce où nous entrons est un débarras qui sent la poussière. Je tâtonne pour essayer de trouver une porte, dont je tourne la poignée avec précaution. Elle débouche sur un couloir. Je reconnais, au fond, le salon où il reçoit ses clients. Je fais signe aux autres de me suivre en silence.

Dans la pièce du barbier, le désordre est indescriptible. Le fauteuil confortable est lacéré de coups de griffes, des taches de sang maculent les murs.

L'armoire a été renversée, répandant des torchons, un rasoir, et aussi le chocolat et la cannelle que Martin nous a gentiment servis il y a quelques jours avec Lapsa.

— On dirait qu'un loup a attaqué Martin! murmure Dib.

— On va encore se faire accuser, conclut Raoul.

Sur la porte qui donne sur l'extérieur, quelqu'un a écrit en lettres de sang:

« LES LOUPS »

— C'est une mise en scène…, dis-je dans un murmure. Quelqu'un a signé ces mots à notre place. C'est sans doute la même personne qui avait écrit l'inscription à la craie sur le mur de la taverne, celle qui accusait Arnoux.

— Mais qui? fait Raoul.

Je lui réponds d'une voix triste:

— Tu as entendu Delphine et les autres: c'est Éloi, le père de Lapsa… Et je suis sûre qu'elle est ici, elle aussi, quelque part. Cherchons-la, vite, il n'est peut-être pas trop tard!

— Vérifie la dernière pièce du rez-de-chaussée, dit Raoul, moi je vais à la cave, et toi, Dib, à l'étage.

— D'accord, dis-je en filant dans le couloir. Ensuite, on se retrouve ici, dans le salon du barbier.

Je tombe sur une porte fermée, mais la clef est dans la serrure et je l'ouvre sans difficulté. J'avance dans une pièce entièrement noire, même pour mes yeux de loup qui ne se sont pas encore habitués à l'obscurité. Mes doigts touchent la surface d'un lit, avec un vêtement posé dessus. On dirait un châle…

—Lune? Mon Dieu! C'est toi? fait une voix que je reconnaîtrais entre mille.

—Lapsa! Où es-tu? Je ne vois rien!

—Hé, dit Raoul dans le couloir, attends-nous, Lune, on arrive!

—Lune! crie Lapsa. Attention derrière toi, il…

Dans mon dos, la lueur d'une lampe à huile illumine soudain la pièce, une petite chambre très soignée où Lapsa est assise sur le lit. La porte claque et j'entends le bruit métallique d'une serrure que l'on referme d'un tour de clef. Je tourne aussitôt la tête et pousse un cri perçant: dans mon dos se tient un loup. Non pas un gamin qui n'a pas encore terminé sa croissance, comme Dib. Ni un jeune garçon à peine sorti de l'enfance, comme Raoul. Non, un loup adulte, massif, au corps trapu et puissant, légèrement arqué. Sur ses joues et ses mains, son pelage est fourni, lustré, presque huileux. Et surtout, les poils noirs et blancs y sont mêlés, comme la barbe d'un homme entre deux âges. Un loup blanc! Le quatrième loup! Mon Dieu, est-ce Éloi, le père de Lapsa?

— Encore toi, sale petite louve, grogne-t-il d'une voix plus animale qu'humaine, en posant la lampe au sol.

— Lune! crie Raoul de l'autre côté de la porte. Qu'est-ce qui se passe?

— Raoul, au secou...

Un coup d'une force surhumaine me plie en deux au niveau du ventre. Je me retrouve par terre, le dos contre le mur et le souffle coupé. La douleur est atroce. Incapable de prononcer le moindre mot, je vois la silhouette sombre du loup blanc s'approcher de moi.

— Misérable petite femelle à peine sortie des mamelles de ta mère. Tu n'as aucune chance contre moi : je porte ce masque depuis quinze ans, je suis plus vieux, je suis plus fort. Je vais crever ta panse de louve, comme je l'ai déjà fait avec ta sale engeance autrefois.

Déjà fait? Il l'a déjà fait? Bien sûr! C'est l'un des deux personnages du dessin de la folle, les deux loups qui se battaient. Il a déjà tué Martha!

— Cette fois, je vais partir avec Lapsa et personne ne se mettra en travers de mon chemin.

Gagner du temps, il faut gagner du temps! Je pourrais le faire parler. Mais mon ventre me fait horriblement mal et je lutte déjà pour respirer.

— Ce n'est pas de moi que tu es amoureux, c'est de Flore, fait la voix de mon amie dans le noir. Et elle est morte il y a quinze ans.

Le loup blanc s'arrête et se tourne vers elle.

—Quand je te regarde, moi, c'est elle que je vois.

Puis il fait de nouveau un pas vers moi, prêt à frapper.

—Flore n'était pas amoureuse de toi, reprend Lapsa, la voix tremblante. Elle aimait mon père.

Son père? Ce n'est donc pas lui? Je ne comprends plus rien. En tout cas, le loup s'arrête encore. Soudain, le battant de la porte craque sous un coup de boutoir de Raoul. Le loup blanc se retourne en sursaut. Une masse en mouvement le percute violemment, deux corps luttent et tombent, puis roulent sur le plancher, bataillant férocement.

—Lune, Lapsa, sauvez-vous! fait Raoul, qui entaille la poitrine du loup blanc avec ses griffes.

Raoul! Bon Dieu, il va se faire tuer! La douleur dans mon ventre reflue peu à peu, comme si le masque guérissait mes blessures. Mais le loup blanc, lui aussi, semble à peine sentir les coups qu'il reçoit de son ennemi. Sous sa poitrine à la chemise déchirée, les entailles semblent s'être déjà refermées. Revenu de sa surprise, il reprend le dessus sur Raoul, qui tente désespérément de l'empêcher de le déchiqueter avec ses griffes.

Je lui saute dessus par-derrière, essayant d'enfoncer les miennes dans la peau de son cou, mais elle est aussi dure que du cuir. Le loup blanc se relève en grognant, me soulevant toujours accrochée à son dos, et m'assène un coup de coude dans le ventre qui me fait lâcher prise. Puis il se penche vers Raoul, lui saisit la tête d'une main et, de l'autre, s'apprête à lui trancher la gorge.

Alors Lapsa se précipite sur la lampe à huile posée au sol et la lui jette à la figure. Le verre se brise sur son crâne et des gouttelettes enflammées se répandent sur ses vêtements. Déstabilisé, il lâche Raoul et perd un bref instant à étouffer le feu avec ses gants de loup. C'est plus qu'il ne m'en faut : je bondis sur lui à mon tour, espérant le repousser et l'assommer contre un mur. Seulement, ce n'est pas sur le mur qu'il va s'écraser : c'est sur la fenêtre, dont les volets fermés cèdent sous le choc. Nous sommes tous les deux éjectés de la maison, couchés dans la terre, dehors sur la place, aux pieds des villageois médusés.

— Lune, j'arrive ! crie Raoul.

En un clin d'œil, nous voilà de nouveau tous les trois sur nos pieds, nous toisant à travers les masques, jaugeant nos forces.

Rapide comme l'éclair, le loup blanc fait un moulinet du bras pour nous déchirer les chairs à tous les deux d'un seul coup. Raoul recule, mais une fraction de seconde trop tard : les griffes traversent le tissu de sa chemise et mordent sa peau. Avec une lueur de triomphe dans le regard, le loup blanc me cherche des yeux. Mais il ne trouve que le vide : je me suis déjà baissée et j'ai attrapé l'une de ses jambes. Alors dans un geste totalement irréfléchi, j'ouvre les mâchoires, les miennes et celles du masque, et les referme sur la chair de sa cuisse. Mes dents percent le tissu de son pantalon et un goût métallique emplit ma bouche. Un hurlement déchire la nuit. Quand je relève la tête, du sang à la bouche, le loup blanc n'essaye même pas de contre-attaquer. Les yeux exorbités, il vacille sur ses jambes et s'effondre lentement sur les genoux, puis sur le ventre, un poignard planté entre les omoplates. Derrière lui, Dib se tient bien droit, les yeux brûlant de haine à travers son masque de loup.

— Ça, c'est pour avoir laissé accuser Arnoux à ta place…

À bout de souffle et les mains encore tremblantes, je me penche sur le corps du loup blanc et retire lentement son masque.

Martin, c'était Martin !

La foule des villageois s'approche de nous, nous encercle, et leurs visages horrifiés vont du loup blanc abattu aux trois loups noirs, couverts de poussière et de sang.

— Les loups ! hurle la vieille folle. Les loups se mangent entre eux !

—À mort les loups! hurle la servante du baron.

—Avec la sorcière, sur le bûcher! fait le capitaine lui-même, la face convulsée par la rage.

Cent mains nous empoignent, nous entraînent vers la pile de fagots et de planches où ils ont déjà attaché la vieille Delphine à un poteau.

Mais ils trouvent sur leur chemin une petite silhouette menue, au visage résolu et au regard flamboyant : c'est Lapsa, juchée sur le bûcher avec son châle rouge et ses cheveux défaits. À la lumière des flammes des torches, elle n'a jamais été aussi belle.

—Vous accusez les loups d'être des bêtes dangereuses? Regardez-vous! Vous allez brûler vifs trois enfants et une vieille dame! Vous accusez les loups de faire peur au village? Regardez-les! Ils vous ont débarrassés du criminel qui nous terrorisait tous!

Un silence de mort se fait sur toute la place. Alors les pièces du puzzle s'emboîtent dans ma tête et je me mets à crier à mon tour, en pointant du doigt le corps du loup blanc :

—C'est lui qui a attaqué la mère Loisel de peur qu'elle ne le démasque! C'est lui qui a poignardé monsieur de Cingly!

Un murmure commence à se répandre dans la foule, comme une onde dans un étang.

—C'est… C'est aussi lui qui a brûlé la ferme des frênes, autrefois, pour faire accuser son rival, Éloi, le père de Lapsa! C'est lui qui a assassiné Martha, parce qu'elle se trouvait à l'arbre des pendus ce jour-là et qu'elle l'avait vu faire!

—Et c'est encore lui qui a…, commence Lapsa, la voix entrecoupée de sanglots. C'est lui qui a assassiné mon père, autrefois, loup contre loup! Mon père, Éloi, est mort il y a quinze ans. Il était loup, mais il s'est opposé à Martin et il n'a jamais tué personne.

Le murmure dans la foule se change en un immense vacarme. Chacun parle en même temps, les gens se mettent à crier en agitant leurs bâtons et leurs serpes.

—Comment le savez-vous? crie la servante.

—Qu'est-ce qui nous le prouve? fait la grande Annette.

Alors c'est moi qui monte à mon tour sur le bûcher. Les mains qui me retenaient me relâchent sans résistance. J'ôte mon masque et parle à la foule à visage découvert:

—Nous, les loups, nous avons débarrassé le village du boulanger qui trafiquait sa farine. Nous avons sauvé la mère Loisel d'une mort certaine. Et maintenant, nous avons démasqué le tueur. Nous ne sommes pas des créatures démoniaques et vous le savez tous. Nous avons peut-être commis des erreurs, mais tout ce qu'on avons essayé de faire, c'était de réparer les injustices.

—Tu es une louve! Au bûcher, les loups! crie la grande Annette.

—Au bûcher! hurlent d'une même voix cent villageois furieux.

Des mains se tendent de nouveau vers moi pour m'empoigner.

—Vous voulez brûler mon amie? leur répond Lapsa en jetant son châle rouge et en me prenant la main. Alors brûlez-moi aussi!

Un silence stupéfait se fait sur la place.

—Tu es folle? je lui glisse à l'oreille.

—À la vie, à la mort, tu te souviens? me souffle-t-elle d'une petite voix tremblante. Mais espérons que ça marche et que soit plutôt «à la vie», hein?

—Au bûcher! hurle soudain de nouveau la servante. Elle veut brûler avec sa louve, la graine de sorcière? Alors au bûcher toutes les deux! Débarrassons le village de tous ses monstres!

Un éclat de rire sonore fait soudain tourner toutes les têtes vers l'Ancien, qui grimpe lui aussi au sommet du tas de bois.

—Débarrasser le village de ses monstres? Quels monstres? La petite Lapsa, qui vient de vous donner une sacrée leçon de courage? Delphine, qui a soigné la moitié d'entre vous, à un moment ou à un autre? Ou moi? Oui, moi! J'ai été loup autrefois. Et j'en suis fier. Ne vous arrêtez pas en si bon chemin, brûlez-moi avec les autres, moi aussi!

— Et moi donc! fait la mère Loisel, qui escalade à son tour le bûcher malgré ses jambes encore faibles. Oui, j'ai été louve, autrefois. Le bois de ce bûcher m'appartient, et c'est moi qui ai été attaquée. Mais brûlez-moi aussi, tant que vous y êtes! Brûlez donc la moitié du village, et après ça, regardez-vous dans vos miroirs et demandez-vous qui sont les vrais monstres!

Les gens se taisent peu à peu devant les sept personnes qui se tiennent face à eux, si résolues, si solidaires qu'elles sont prêtes à mourir ensemble. Des murmures s'élèvent dans la foule.

— L'Ancien? J'aurais jamais cru qu'il avait été loup, lui aussi, fait le tavernier.

— Et la mère Loisel aussi? C'est une sacrée bonne patronne, à la scierie, renchérit le père Mathieu en hochant la tête.

Les visages s'abaissent. Ils se regardent les uns les autres, soudain dégrisés, comprenant enfin l'horreur du crime qu'ils s'apprêtaient à commettre tous ensemble.

Alors le capitaine s'avance lentement, grimpe à son tour sur la pile de bois, sort un couteau de sa ceinture et tranche les liens qui retenaient la grand-mère de Lapsa. Elle sanglote doucement en murmurant :

—Ma petite-fille, ne brûlez pas ma petite-fille.

—Pardon, Delphine. Pardon, au nom de tout le village. Je ne sais pas quelle folie nous a pris…

28

LAPSA

—Lapsa, tu peux me passer le balai, s'il te plaît? me demande Lune.

Elle est venue nous aider à ranger l'apothicairerie. On n'est pas trop de trois. Tout est par terre, il n'y a plus un pot sur les étagères, plus un bocal entier. Les herbes, les fleurs, les poudres jonchent le sol, dans un fatras indescriptible.

Quelle catastrophe! Il va falloir refaire tous les stocks, passer des heures à récolter, faire sécher, racheter des bocaux… Les villageois ont détruit le travail de plusieurs années en quelques minutes. Je bougonne:

—Ils sont où maintenant, ces crétins crasseux? C'est bien la peine de s'excuser si on ne répare pas ses erreurs!

—Lapsou, dit Grand-Mère avec tendresse, ne les accable pas, ils culpabilisent et tu sais ce que je dis souvent…

—« La culpabilité, c'est comme le sel, il en faut, mais si on en a trop dans sa vie on perd le goût des choses », répond Lune.

—C'est comme si j'avais deux petites-filles! dit Grand-Mère en riant.

Je reprends le travail: je jette les restes de pots cassés en essayant de récupérer quelques précieuses herbes, et dresse la liste de ce qu'il faudra remplacer. Aïe, un tesson me coupe le doigt!

—Ça va, ma belette? me demande Grand-Mère en s'approchant. Oh, mais tu pleures?

Je viens de fondre en larmes. La douleur n'est pas vive, mais c'est comme si elle avait fait sauter une digue. Je suis tombée dans un gouffre que j'essayais d'éviter depuis la semaine dernière. Je me réfugie dans les bras de ma mamie, complètement désespérée.

—Il est mort… il est mort…

—Qui ça, ma puce?

—Mon père…

Elle a un temps d'arrêt, puis répond avec tristesse:

—Oui, mon chaton, il est mort. Et je suis désolée, tellement désolée que tu aies cru le contraire à cause de mes mensonges. Je pensais te protéger et je n'ai fait qu'aggraver les choses.

—Non, intervient Lune qui s'est approchée de nous, il fallait faire éclater la vérité. Personne n'est responsable de ce gâchis, à part Martin. Ça va prendre du temps pour réparer tout le mal qu'il a fait, surtout à vous deux. Mais on va y arriver !

Grand-Mère hoche la tête.

—Tu as raison, ma belle. Je suis heureuse de penser qu'Éloi n'était pas un monstre en fin de compte. Je l'aimais beaucoup avant cette affreuse histoire, et je suis soulagée à l'idée que ton père était une bonne personne.

Mes deux parents étaient de bonnes personnes. Imparfaites, mais généreuses. Mes pleurs se calment. Moi aussi, je suis fière de me dire que mon père était quelqu'un de bien. Même s'il me manquera toujours.

—Je me pose encore une question, dis-je. Pourquoi le barbier est-il devenu aussi violent et pas mon père ? Ils ont vécu les mêmes injustices, la même maltraitance pourtant ! Le père de Martin était un ivrogne, un homme violent, tout comme mes grands-parents.

—On est ce qu'on fait, Lapsa. C'est vrai, les deux ont subi des violences. Mais, tu sais, quelles que soient les circonstances, nous sommes toujours ce que nous choisissons de faire. Et dans ce cas, Éloi et Flore ont fait une chose fantastique, que Martin a failli détruire parce qu'il était jaloux et envieux.

—Quoi?

—Toi, patate! me dit Lune en riant. Bon, je dois filer. À tout à l'heure?

—Oui, répond Grand-Mère, on t'attend pour dîner!

Nous continuons notre ménage quelques minutes en silence.

—Grand-Mère?

—Il y a encore quelque chose qui te tracasse?

—Oui. J'aimerais que tu m'accompagnes sur la tombe de l'ancienne ferme des frênes. Quelqu'un a gravé quelque chose et… je ne comprends pas.

—« *N'ayez pas pitié des morts. Ayez pitié des vivants qui sont sans amour.* » J'y suis allée. C'est ta mère qui a gravé cette phrase, pour qu'on ait pitié de son Éloi innocent, mal-aimé, au lieu de plaindre ses parents violents et haineux.

—Mais il était déjà mort, en fait… et elle n'en savait rien. C'est d'elle dont on aurait dû avoir pitié…

—Et moi la première, moi qui ne l'ai jamais crue. Je m'en veux, dit Grand-Mère, submergée par l'émotion.

Je sais que je ne trouverai rien à lui dire pour l'aider, parce qu'elle aura toujours ce remords de n'avoir pas écouté sa fille, alors je la prends dans mes bras, pour lui montrer que, moi, je suis toujours là, et qu'on a encore de longues années devant nous.

LUNE

Le soleil est déjà couché quand j'arrive enfin à l'arbre aux pendus, essoufflée d'avoir couru tout le chemin à travers la forêt. Deux silhouettes grises m'attendent déjà dans la pénombre, l'une grande et large, l'autre plus petite.

—Tu es en retard, grommelle Dib.

—J'aidais Lapsa et sa grand-mère à réparer les dégâts à l'apothicairerie.

—Ah, je comprends, fait Raoul. On leur aurait bien donné un coup de main, nous aussi, mais on devait finir de remettre la boulangerie en état. Pas vrai, Dib?

Le gamin hausse les épaules.

—La mère Loisel m'a prêté de l'argent pour rénover le fournil, poursuit Raoul. Le village aura de nouveau du pain frais. Dib sera mon apprenti, mais j'essaierai d'être un meilleur maître que celui que j'ai eu.

—Bon, fait Dib, on va pas y passer la nuit. Vous êtes prêts? Vous avez vos masques?

Je sors du vieux sac de cuir mes griffes et ma tête de loup, tâtant une dernière fois le poil soyeux qui paraît tellement vivant et chaud sous ma main. Au fond du trou, Raoul a déjà ouvert le coffre.

—Il ne va pas me manquer…, murmure-t-il avec le sien à la main.

À moi si. Mon visage de loup me colle aux doigts comme s'il refusait de me quitter. Mais c'est moi, je le sais, qui ne veux pas m'en séparer. Le jeter devant moi en fermant les yeux, c'est un renoncement, un déchirement que je ressens dans tout mon corps. Nos masques tombent un à un. Puis nous rebouchons le trou tous les trois avec nos mains. Et me voici à quatre pattes, le cœur battant, les ongles noircis de terre, à essayer d'imaginer ce que sera désormais ma vie sans ma seconde peau animale…

—On aurait peut-être dû attendre Arnoux, fait Dib, la voix soudain nouée par l'émotion. Je sais bien qu'il n'a plus de masque, mais lui aussi, c'était un loup.

Je m'éclaircis la gorge, un peu embarrassée.

—A… Arnoux m'a écrit une lettre. Je l'ai reçue ce matin.

—Une lettre? s'écrie Dib, rayonnant de joie.

Et puis, il fronce les sourcils.

—Pourquoi une lettre? Il ne sait pas écrire. Et pourquoi il t'aurait écrit une lettre, à toi?

Sous-entendu: «*et pas à moi…*»

Je lui réponds avec toute la douceur dont je suis capable:

—À la prison, un écrivain public passe chaque semaine, Arnoux n'a eu qu'à la lui dicter.

—Ah, répond Dib. Alors, il revient bientôt au village? Lis-nous la vite!

—Je ne peux pas, il fait trop noir, mais il... il pense que les gens du village doivent le détester pour ce qu'il a fait, surtout la mère Loisel.

—On s'en fiche pas mal, de la mère Loisel, grogne Dib.

—Il dit aussi qu'il regrette ce qui s'est passé. Et qu'il a décidé de reprendre sa vie là où elle en était.

—Ça veut dire quoi? fait Dib. Elle en était où, sa vie, avant les loups?

—Sur le chemin, dis-je en cherchant son regard malgré l'obscurité. Sur le chemin de la ville.

Le silence nous enveloppe comme une ombre froide.

—Alors il ne va pas revenir au village, c'est ça? Il... Il avait dit qu'il ne me laisserait jamais tomber... On était comme des frères, qu'il disait...

Raoul pose sa main sur l'épaule de Dib, qui sanglote doucement.

—On s'occupera bien de toi, tu sais. Tu n'es pas tout seul.

Je sors la lettre froissée de mon sac et je la serre entre mes mains comme si ça pouvait consoler Dib.

—Il dit aussi que... qu'il t'embrasse, qu'il pense bien à toi et qu'il te souhaite beaucoup de bonheur.

La vérité, c'est qu'Arnoux ne dit pas un mot de Dib dans sa lettre. Je suppose qu'il a déjà oublié le petit, ou qu'il a mauvaise conscience de l'abandonner.

Mais Dib ne sait pas lire, alors il ne saura jamais que je lui ai menti, n'est-ce pas?

La lune se découvre tout à coup dans le ciel noir. Mais cette fois, elle n'est pas rousse; c'est une demi-lune aussi blanche que du lait. Je me lève et, avec un soupir, je pousse le rocher de toutes mes forces sur l'emplacement du coffre.

LAPSA

Le soleil de printemps peine encore à réchauffer la maison, mais j'ai laissé la porte du jardin ouverte pour entendre les cris des oiseaux. Cela fait du bien après ces longs mois d'hiver, et les odeurs de la forêt me parviennent distinctement. Je vais pouvoir y retourner sans crainte. Enfin, en plein jour du moins! J'ai l'impression que ce printemps va être doux, bon et lumineux. Parfait pour passer à autre chose après l'automne de la lune rousse. Je n'ai pas revu ma renarde… elle ne réapparaîtra peut-être jamais! Pour me consoler, l'Ancien a fait pour moi un masque de renard. Il est magnifique. Il n'a aucun pouvoir, mais il représente ce que je suis et je l'aime beaucoup.

Je me suis attablée dans la cuisine avec le carnet de ma mère et les pages que Martin avait arrachées. Cachés dans une boîte sous mon lit depuis octobre, je ne les sortais que rarement, car regarder le visage de ma mère me faisait pleurer chaque fois. Je n'ouvrais plus le médaillon non plus.

Et puis, l'hiver a passé et avec lui de nombreuses veillées à évoquer mes parents avec Grand-Mère, l'Ancien et la mère Loisel. Une fois, la vieille folle est venue toquer pour raconter sa propre histoire. Ses parents sont morts quand elle était petite, tués par un autre loup blanc. Elle a tout vu. Nous étions horrifiés en l'écoutant, mais elle est repartie en chantonnant, comme si de rien n'était.

Ce matin, j'ai fait de la colle avec de la farine et de l'eau, et je vais réparer ce carnet. Patiemment, je découpe les bords déchirés avec mes petits ciseaux d'argent, offerts par la mère Loisel pour Noël. Puis je recolle les pages au dos des autres. Je ne pleure pas ; je suis triste, bien sûr, mais j'arrive à tourner les pages.

J'hésite à coller aussi le portrait de mon père, celui que j'ai pris à la vieille folle.

Raoul entre à ce moment-là, accompagné d'une agréable odeur de pain frais.

— Bonjour, Lapsa ! dit-il de sa belle voix, qui a gardé quelque chose de grave depuis les loups.

— Bonjour, Raoul, tu as fini ta fournée ?

— Oui, et c'est Dib qui l'a pétrie aujourd'hui. Il se débrouille bien. Tiens, voici la miche que ta grand-mère m'a demandée.

— Livraison à domicile, c'est trop gentil ! Assieds-toi.

Le nouveau boulanger du village n'a pas encore tout à fait la carrure d'un adulte, mais il n'en est pas loin, et le banc craque un peu sous son poids d'homme. Il me regarde hésiter avec ma feuille entre les mains.

— Tu sais, Lapsa, tu devrais essayer de le refaire, dit-il doucement.

— Comment ça ?

— Tu pourrais redessiner le portrait de ton père sur une nouvelle page, mais sans le masque de loup ni les doigts de la petite fille. Comme ça, tu auras un beau portrait de lui, plus grand que celui de ton médaillon. Je crois que ce serait bien pour toi.

Je suis touchée par son attention. Il a raison, je vais essayer de faire ça ! En attrapant une feuille blanche, je vois qu'il a posé un petit pain à côté de la grosse boule qu'on lui avait commandée.

— Qu'est-ce que c'est ? Une lune en pain pour Lune ?

— Non…, hésite-t-il un peu. Regarde, elle est rousse. C'est pour toi.

LUNE

—Papa, Maman, venez par ici, j'ai quelque chose à vous dire!

Cette conversation, je veux l'avoir dans la pièce commune autour de la grande table, comme ce fameux jour où mes parents m'ont annoncé qu'ils me fiançaient à Cingly. Mais cette fois, c'est moi qui leur demande de venir m'écouter.

—Oui, ma chérie? fait Maman en passant par la porte de l'étable, les mains pleines de terre.

Papa arrive de la chambre, où il était en train de réparer l'armoire. Il a encore un marteau et des clous à la main.

Ils se figent tous les deux quand notre visiteuse entre à son tour dans la pièce: la mère Loisel, avec sa robe bien coupée, au tissu fin. Papa pose aussitôt son outil sur la table et Maman s'essuie les mains sur son tablier, honteuse.

—M'dame Loisel, bredouille Papa, c'est un honneur de vous recevoir. Si nous avions su, nous nous serions mieux habillés.

—Je vais préparer de la tisane! s'écrie ma mère. Asseyez-vous, je vous en prie!

—Je ne vais pas rester, répond la mère Loisel, un peu embarrassée elle aussi. Je suis venue vous dire que j'ai racheté toutes les terres que vous travaillez en fermage.

— Les terres qui appartenaient à monsieur de Cingly ? fait Papa en ouvrant de grands yeux. Mais alors, c'est à vous que nous devons payer le loyer ? Ah, crénom, dans ce cas, j'dois vous dire, m'dame Loisel, qu'il se trouve que cette année…

— Je sais, le coupe-t-elle.

— … avec la sécheresse de ce printemps, et la maladie qui s'est mise sur le blé au pire moment…

— Je sais, répète la mère Loisel : vous n'avez pas de quoi payer cette année. Je vous fais crédit exceptionnellement.

— Crédit ? dit mon père, comme s'il entendait ce mot pour la première fois.

Il devient rouge de honte.

— On ne demande pas l'aumône, madame !

— Et je ne vous la fais pas. Vous me paierez le double l'année prochaine. Mais je suis une femme d'affaires. Je ne vois pas l'intérêt de conduire mes fermiers à la ruine juste parce qu'ils ont eu une mauvaise année.

Mon père hoche la tête, perplexe. Cette femme n'achète jamais de terres. Elle ne possède que sa scierie. Pourquoi dépenser de l'argent pour des terrains dont le fermier ne peut justement pas payer le fermage ?

— Je suis aussi venue vous dire que votre fille…

J'interromps la mère Loisel d'une main posée sur son bras.

—Je vais le dire moi-même, madame.

Elle me sourit et me laisse prendre mon souffle.

—Papa, Maman, je ne suis pas faite pour travailler à la ferme. Je déteste le travail des champs. Je n'aime pas m'occuper des bêtes. Et je ne supporte plus ce petit village où tout le monde se connaît.

—Mais que… qu'est-ce que tu racontes? dit Maman, blanche comme un linge. Ce village, c'est le nôtre, c'est Thiercelieux. Où veux-tu donc aller?

—À la ville, Maman.

Elle ouvre grand la bouche.

—Tu… Tu nous quittes à cause de cette histoire de mariage? crie-t-elle soudain. Mais tu sais, ton père et moi, on n'avait pas eu notre mot à dire, nous non plus! Ça s'est toujours fait comme ça. Les parents décident pour le mieux, pour que les enfants aient une terre, un toit sur la tête et…

—Au village, oui, et c'est pour ça que je pars, justement. Peut-être que là-bas, à la ville, les choses seront différentes.

—Tu… Tu nous punis, c'est ça? gémit Maman.

—Non, Maman. Je veux décider de ma vie, c'est tout; elle sera peut-être dure aussi, mais au moins, c'est moi qui l'aurai choisie. La ville n'est pas si loin, je reviendrai souvent vous voir et je vous apporterai un peu d'argent, si je le peux.

—Que vas-tu faire là-bas? s'écrie Papa. Tu ne connais aucun métier de la ville et tu seras toute seule! C'est de la folie, tu vas finir sur le trottoir!

La mère Loisel reprend alors la parole:

—Lune a déjà un emploi. Je viens d'acheter un comptoir à la ville pour mes affaires et j'ai besoin d'une assistante de confiance sur place.

—Voyons, madame Loisel, fait Maman, Lune n'a que quatorze ans!

—C'est à cet âge que j'ai commencé à travailler, moi aussi. Et je suis sûre de faire un bon choix en engageant Lune. C'est une ancienne louve, n'est-ce pas?

Le mot jette un froid dans la pièce.

—Je vous aime et je ne vous en veux plus, dis-je pour le dissiper. Je voudrais partir avec votre accord.

—Mais tu le ferais même si on ne te le donnait pas, hein? remarque mon père.

—Peut-être. Mais dans ce cas, je partirai le cœur gros.

Maman s'approche de moi, en larmes, et me serre dans ses bras en sanglotant, pendant que Papa, ne sachant comment faire pour me montrer son affection, me tapote maladroitement l'épaule du plat de la main.

—Ce n'est pas un hasard si tu es la seule de nos enfants qui ait survécu à toutes les maladies et à tous les accidents, pas vrai? Depuis toute petite, tu as toujours été une sacrée tête de mule.

Mais il dit cela d'une voix douce où perce, finalement, de la tendresse.

Je croise le regard de la mère Loisel, à qui je dis silencieusement «merci», et elle me répond d'un hochement de tête.

—Je vous devais bien ça, à Raoul et à toi, murmure-t-elle.

LAPSA

—Ben voilà…, fait Raoul, la tête baissée, luttant pour ne pas pleurer.

Derrière nous, l'angelot de la fontaine continue de veiller sur le filet d'eau qui s'écoule doucement, comme si rien ne s'était passé au village. La mère Loisel, un peu plus loin, fait semblant de s'occuper des chevaux de la charrette pour me laisser le temps de faire mes adieux à mon amie.

—Oui, voilà, répète Lune, faute de savoir quoi dire d'autre.

J'ai le cœur serré. Je sais que c'est une bonne chose pour Lune de partir de Thiercelieux, mais cela ne me console pas. Je ne la verrai plus au quotidien, je ne pourrai plus débarquer à l'improviste chez elle pour des discussions sans fin. On ne courra plus les bois en inventant des histoires.

—On a grandi de toute façon, me dit-elle, comme si elle devinait mes pensées.

Raoul me prend la main pour me consoler. Je vois que Lune a remarqué son geste et que cela la fait sourire.

—Je vais vous laisser toutes les deux, dit-il, Dib est tout seul à la boulangerie, j'ai peur qu'il fasse une bêtise.

Il sent bien que Lune et moi, on a besoin d'être seules toutes les deux un moment. Et, quand il s'éloigne, je craque, je tombe dans les bras de mon amie en pleurant.

—Tu vas me manquer!

LUNE

Dès que les premières larmes coulent sur les joues de Lapsa, je sens les miennes dévaler sur mon visage.

—Je reviendrai souvent.

—Mais on ne se verra plus beaucoup...

—Je t'écrirai toutes les semaines.

—Mais c'est toi que je veux auprès de moi, pas des lettres...

—Je ne t'oublierai jamais.

Lapsa me serre encore plus contre elle, je sens ses doigts se crisper dans mon dos, à travers l'étoffe de la chemise, si fort que j'ai presque l'impression qu'elle a des griffes au bout des mains.

—C'est vrai? fait-elle en reniflant.

—Est-ce que je t'ai jamais menti?

—Ben un peu quand même…

Je rougis soudain. On n'a jamais reparlé directement du secret qui a plané toute cette étrange semaine d'octobre autour des loups.

—Ne t'en fais pas, fait Lapsa, je sais bien qu'on ne peut pas toujours tout se dire. L'important, c'est que tes sentiments ont toujours été sincères, enfin, je crois…

—Évidemment qu'ils ont toujours été sincères, patate!

Je la relâche enfin et j'essuie mes larmes d'un revers du bras. Un sourire s'étire sur mon visage, comme un arc-en-ciel après la pluie.

—Alors je veux bien que tu m'écrives, dit Lapsa.

—C'est promis.

—Et que tu reviennes souvent.

—Ça aussi.

—Et que tu me rapportes des cadeaux de la ville.

—Eh! Dis donc, tu n'as pas l'impression d'abuser de la situation, toi?

On éclate de rire toutes les deux, malgré nos larmes. Et puis, puisqu'il faut bien, je lui fais un signe de la main et je regagne la charrette de la mère Loisel.

Épilogue

Dans le grenier, il fait sombre et il y a des araignées, mais c'est un endroit que Dib aime bien. Ici au moins, ses parents adoptifs ne viennent jamais.

— Dib ? fait la grosse voix de son père en dessous. Où es-tu passé, encore, sale gamin ? Tu as intérêt à ramener tes fesses vite fait, sinon, tu vas encore goûter à mon ceinturon !

Le jeune garçon ferme les yeux, se bouche les oreilles, et des larmes commencent à couler au coin de ses paupières quand il repense au temps où Arnoux le protégeait. Puis il ôte ses mains, rouvre les yeux et son expression change. Dans ses yeux, la peur s'estompe, remplacée par une étrange lueur sauvage.

Il plonge la main dans un sac de cuir et en retire le masque oublié du loup blanc, dont il caresse amoureusement le poil du creux de la main.

Remerciements

Un très grand merci à Philippe des Pallières et Hervé Marly pour nous avoir confié les clefs de leur génial univers, les Loups-Garous de Thiercelieux, et, pendant un déjeuner au soleil, de nous avoir patiemment livré leur vision de leur jeu. Un très grand merci aussi à nos six bêta-lectrices et sœurs de plume qui ont lu et décortiqué les différentes versions du manuscrit de *Lune rousse*, avec patience et acharnement, qui ont répondu à nos questions, fait des suggestions et sont restées présentes pour nous jusqu'à la fin : Lise Syven, Cindy Van Wilder, Nadia Coste, Maëlig Duval, Agnès Marot et Lilie Bagage. Merci aussi à Gauthier Guillemin qui fait ses armes d'écrivain et de bêta-lecteur. Et un très grand merci, enfin, à Stéphane Marsan qui, avec son sourire machiavélique, nous a convaincus pendant une belle journée de mai d'écrire de nouveau ensemble, après le succès du roman *14-14*, en nous appâtant cette fois avec l'univers des Loups-Garous de Thiercelieux, un jeu que nous adorons tous les deux, pour nous avoir fait confiance et laissé une entière liberté dans notre écriture.

Merci à Zane, de l'Institut français de Riga en Lettonie, à Barbara qui est toujours là, et merci à tous nos lecteurs, en France et dans le monde, pour leur enthousiasme si nourrissant.

Merci à toute l'équipe de Castelmore et une pensée particulière pour Adèle, qui a travaillé à la couverture jusqu'aux tout derniers jours avant son départ.

De Silène à ses proches : pour mon alpha et mes louves. Pour les habitants et invités de la maison du Génie.

Un merci particulier à toi, mon cher Paul : depuis toutes ces années, nous faisons la route ensemble et écrire ce nouveau livre avec toi a été un grand b-honneur pour moi.

De Beorn : merci à Elodie, toujours. Merci à Lilie pour son soutien permanent. Et merci à toi, Silène, pour nos fous rires et nos coups de téléphone de plusieurs heures, pour cette grande aventure qu'on appelle « un roman » et que nous avons traversée ensemble.

*Retrouvez le jeu à l'origine du roman
en jouant aux*

Loups-Garous
de Thiercelieux

*Les Loups-Garous de Thiercelieux :
un jeu de Philippe des Pallières
et Hervé Marly*